九龍城探訪

CITY OF DARKNESS

魔窟で暮らす人々

グレッグ・ジラード
イアン・ランボット
尾原美保/訳　吉田一郎/監修

イースト・プレス

City of Darkness

Life in Kowloon Walled City

CONTENTS

序文　グレッグ・ジラード

1980年代に香港に住んでいた頃、「九龍城」といえば多くの人にとって、聞いたことはあるけれど訪れたことはないという場所であった。たいていの場合、「危ない」、「汚い」というふたつの言葉で片付けられてしまう。だがそれは、行ったことのない人の勝手なイメージに過ぎない。

私が偶然行き当たったのは、1985年のある夜、啓徳《カイタク》空港に近く飛行機の音がうるさい通りで写真を撮っていたときである。当時の九龍城は14階建てで、周囲を放射状にトタン屋根の2階建ての廃墟が取り囲んでいた。

「これが九龍城にちがいない」。思いがけない発見に胸が躍った。狭い路地を抜けて周囲の違法居住者の溜まり場を過ぎ、入り口に行き着いたときには、その雰囲気に圧《お》され一瞬入るのをためらった。だが、建物同士の隙間を抜けて暗い迷路に入り込むと、その不安は好奇心に変わった。この暗澹《あんたん》たる不気味で巨大な建造物が、なぜ近代都市香港に存在しているのだろうか？どうしてこの真の姿を誰も語ろうとしないのだろうか？

それから2年の間に何回か訪れては探索したが、真剣に写真を撮り始めたのは、1987年に九龍城の取り壊しが発表されてからである。この告知は、部外者である私にはチャンスだった。探索しはじめの頃は住人たちに嫌がられたり、疑わしい目で見られたりしていたのだが、それがなくなったのだ。彼らはテレビ局の人間や写真家、ただ単になくなる前に見ておきたいという人などが詰めかけるのにだんだん慣れてきたのである。

1988年のあるクリスマスパーティーで、私は友人からイアン・ランボットを紹介された。彼も九龍城の写真を撮っていた。最初は建築物として見ていたが、やがて住人の生活や仕事の様子に魅了されたという。それはまさに、私がカメラで追っていたものと同じだった。ふたりのそれぞれの視点はお互いを補完する。これを写真集にしたい――。

本書は1993年に刊行されたものを再版したものである。刊行当時、イアンと私は香港をよく知らない人々が九龍城にどれくらい興味を示すのか検討がつかなかった。しかし、取り壊しから6年たった今では、九龍城は――香港の内外を問わず――広く知られるようになっただろう。本書も含め様々な記事やドキュメンタリーが作られた結果、九龍城について広く知られるようになったわけだが、ひとつ確かなのは、この町が本質的に人々の興味を引き続けたということだ。誰かに計画されたわけでもないのに増築や改築が繰り返され、「調和の取れた無秩序」（住民自らそう表現した）を培った九龍城は、もはや存在しないにもかかわらず今では世界中から注目されている。

九龍城が有名になってきたと感じたのは、SF作家ウィリアム・ギブスンの作品に取り上げられていると知ったときだった。彼は小説「あいどる」（角川書店）で、「バーチャルに」九龍城を描いた。そして、その前書きには「City of Darkness」の名前がある。

もちろん本書は九龍城の真の姿を取り上げた唯一の本ではない。日本人写真家の宮本隆司は、モノクロの美しい作品集「九龍城砦」（平凡社）で独自の世界を表現した。またシンガポール生まれの建築家アーロン・タンは、九龍城のことを文章にし、それに建築図面とイアンや私の写真を合わせたものが、1997年のクワンジュ・ビエンナーレで展示された。日本では、書籍以外に九龍城をテーマにしたウェブサイトもある。他にも日本語の本は多くあるが、一番有名なのは前述の「九龍城砦」だろう。

こうしたものたちも、影響力と注目度が衰えることのないこの九龍城を理解する手助けになってくれるだろう。そして私たちは本書を、九龍城を見る機会を逸してしまったすべての人に捧げたいと思う。

上海にて

“魔窟”九龍城　ピーター・ポパム

ピーター・ポパムは、ロンドンに育ちリーズ大学で学んだ。卒業後1977年に来日して鎌倉の仏寺にて禅の修業を積んだ後、ジャーナリストに転向。東京を拠点とした建築専門のライターとして、「サンデー・タイムス」や「ゲオ」など世界各国の新聞や雑誌に寄稿した。現在は「インディペンデント・マガジン」のライターで、ロンドン在住。この文章は同誌1990年5月号で発表されたものである。

ついに九龍城の取り壊しが始まった。香港では、九龍城ははるか前になくなったと思っている人が多いが、それは噂に過ぎず、九龍城はその壮絶な姿を保っていた。それを恐ろしく異様で不気味に思っていた人もいたが、奇妙なまでの美しさに魅せられた人もいた。

長年にわたって、九龍城の周辺は城内から溢れ出たスラムで埋め尽くされていた。取り壊しの第一歩としてこれらが撤去され、広場がふたつ作られた。そこの整備はまだ始まったばかりである。九龍城は10階、12階、場所によっては14階建てで、27,000平方メートルの敷地内に33,000もの人が住む世界屈指のスラム街だ。それと同時に、自主規制、自給自足、自己決定がうまく機能したこれまでにない近代都市でもある。

長い間九龍城という単語は、アヘン窟、秘密結社、巨大な排水溝やドブネズミなど、中国内で最も忌み嫌われているものと同一視されてきた。しかし末期には警察の手が入ったため、海外からの旅行者や好奇心あふれる部外者もカメラを壊されたり喉を切られたりする危険性がなくなり、それまでとは違って安全に訪れることも可能になった。

そもそも都市とはなんだろうか？　うまく機能し、そこに住む人々の気持ちを満たし、日常の要求に応えてくれるという場所にはどうやったら巡り会えるのだろう？その薄汚さや不法行為という負の遺産も含めて、九龍城はこの疑問へのヒントを与えてくれる。

九龍城があれほどの大きさになったのは、わずか20年前である。この辺りは香港でも最も古い地域で、英国が新界(ニュー・テリトリー)を99年間租借《そしゃく》することに決まった1898年の時点で人が住んでいた数少ない場所のひとつである。一方、当時の香港島は、英国の初代香港総督が「不毛の島」と言ったほどであった。九龍城の場所には1668年から住居があり、この「城」自体は19世紀半ばから築かれ始めた。

中国の大きな町は、風水の原則に基づいて良く考えられて築かれている。風水では町は南を向いて水を臨み、丘や山は北になければならない。その中で、陰（水）の要素と陽（山）の要素が住む人の幸福を祈って組み合わされる。九龍城はこの観点からすると素晴らしい配置であり、北側には獅《ライ》子山《オンロック》、南側には九龍湾があった。

だが、風水でも防げなかったのが外部からの侵略だ。最初は清朝に反逆した中国人の反乱軍、その次にはより強力な英国がやって来た。99年間の租借条約では、古くから九龍半島への足掛かりとなっていた九龍城は中国領のままで、この地域の治安が落ち着くまでは——少なくとも英国はそう解釈していた——管轄権も中国が持つということで合意されていた。しかし状況は一向に変わらず、英国は急速に不利になった。両国軍隊の衝突が続いた後、九龍城も英国の管轄となるという政令が施行された。

だが、それでも事態は収まらなかった。この植民地の行く末が決まったのは、サッチャー・鄧《トウ》会談の行なわれた1984年のことである。英国の支配下にあった1世紀の間、九龍城は異例の存在であった。英国の領域ながら、英国の管轄ではなかったのだ。九龍城にいた中国官吏は1899年に逃亡したが、当の英国当局が入ろうとすると、住民たちは外交問題を引き合いに出して抵抗した。その結果、第2次世界大戦の頃までは、九龍城は昔ながらの中国の風情を漂わせていた。ここに最初の一撃をしかけたのは日本軍だ。彼らは立派な城壁を取り壊し、九龍湾浅瀬の人工島上にある啓徳《カイタク》空港の建設に使用した。これで風水による調和が乱れ、水が供していた陰の要素が失われた。壁もすでになく、一時は住民もいなくなったため九龍城は存在しないも同然になった。そして九龍城は英国に引き渡された。

しかし外交上は、ブラックホールであり続けた。戦争の混乱の中、飢饉や内乱、政治的な迫害により南へ逃れてくる人々の避難所となっていたのである。香港には今でもこうした逃亡者とその子孫が住んでいるため、1997年の中国への返還が不安視されていた。

現在でも九龍城を目指す難民はいる。そのほとんどは政府に追い返されているが、1940年代、50年代にやって来た何千もの人々は水を得た魚のごとき住みやすい環境を得た。ここでは中国人に混じって、中国人として暮らせる。税金はかからず、政府などの圧力に苦しめられることもない。家賃も安く、ビザや各種許可証、労働条件や賃金などについてとやかく言われることもない。

九龍城はかなり珍しい無政府主義社会のモデルである。だが無政府主義だからこそ、悪事の温床ともなった。犯罪は頻発し、中国人の秘密結社はここに拠点を置いて、売春宿、アヘン窟、賭博場などで荒稼ぎをした。彼らは多くの住人を脅して従えさせていたようだ。つい最近まで侵入しようとする部外者が冷たくあしらわれていたのは、それが原因だろう。

しかし、犯罪とは関係ない経済活動もさかんであった。あらゆる合法的な商売が、過酷な環境と衛生状態ながらも栄えていた。外に出て警察に捕まえられることを恐れた難民たちは、工場で働いていないときでも奴隷のような状態で城内に住み続けた。九龍城には香港で一番繁盛している織物工場もあり、玩具、菓子類、金属製品、時計のベルト、大量の食品などあらゆる物が製造されていた。香港の食文化には欠かせない魚蛋《ユィダン》（魚肉団子）も例外ではなかった。こうした工場があったのは驚くべきことだが、合法的な商売がさかんに行なわれていたという事実は、九龍城の健全な一面をはっきりと浮かび上がらせる。長い間、九龍城には悪のイメージしかなく、それは物好きな人や、一部の人種差別主義者、中国の貧民層の暮らしぶりに興味のある人々を満足させるものではあったが、九龍城の良い面は隠されてしまっていたからだ。

完全たる自給自足制の孤立した狭い無法地帯に、多くの人々が押し込まれていたが、彼らの胸にあったのは「生きのびる」ということだった。必要なものは、普通の人と変わらない。水、光、食べ物、そして場所だ。この中でも特に水は不可欠だ。彼らは昔ながらに井戸から水を調達していた。九龍城の周囲には約90メートルの深さの井戸が77個もあった。電動ポンプで屋上にある大きなタンクに水が引かれ、そこから細い管を通じて必要とする部屋へ供給された。配管系統は実用的であったが、合理的なものではなかった（下水管と上水管が混ざらなかったのが不思議なくらいだ）。当然だが、ポンプを動かしたり、城内の路地を照らしたりするためには電気が必要だ。荒っぽい話だが、当初電気は幹線から盗用されていた。だが、1970年に危機的な大火災が発生

一見ひとつの塊のようだが、九龍城は350もの建物から成る。空から見るとゆるやかな平行四辺形の約27,000平方メートルの敷地で、周囲はかつて要塞だった。もはや断定はできないが、九龍城は拡大縮小を繰り返したようだ。1989年に撮影されたこの空中写真では、城内の南から西端へ広がるかつて不法滞在者の定住地であった西頭村（サイ・タウ・ツェン）の場所が、すでに新しい公園になっている。

したため、メーターを使用した電気の供給が認められた。

こうして都市としての基盤が――十分ではないものの――機能的には整っていった。その上に、荒削りで怪しげなコミュニティーが出来上がった。既に述べたようにここでは様々な産業が発展したほか、英国救世軍などが運営していた学校や幼稚園もあった。

城内には中国で資格を取得した経験豊富な医者がたくさんいたため、医者や歯医者にはまったく困らない。彼らは金銭的理由から香港での開業免許を取得できなかったので、城内に小さいながらも整然とした診療所を構えていた。患者が負担する費用は、市中の病院よりはるかに安い。また、九龍城の周辺には、気晴らしができるような食堂が多くあった。昔の面影を残すものとしては、寺院や教会がある。1960年代にやって来たキリスト教再生派のジャッキー・プリンガーという女性が麻薬中毒者や虐げられた住民に手を差しのべ、九龍城からヘロインは消えた。

精神的に強い人にとっては、九龍城は良

い場所だ。午後にはいつでも、路地に麻雀牌を混ぜる音が響いていた。屋根の上では、市中と同じようにレース用の何百という鳩がケージで飼われている。アマチュアの中国のオーケストラも週に2度ほどやってきて、通りで物憂げな音楽を奏でていた。

香港やマカオの労働者層が集まる裏通りなどに魅力を感じたことがある人にとっては、本書の写真で、九龍城の雰囲気や独特の「匂い」がよくわかるだろう。だが、実際に行かなければ、真の姿を理解できたとは言えない。

城内を車で通り抜けられる道はなく、歩き以外に使えるのは自転車くらいだ。道幅1.2メートルほどの路地が何百とあり、それぞれ個性がある。外の世界から入り込むと外界の平和な風景が突然消えて、暗黒の世界に飲み込まれてしまう。九龍城は暗く、信じられないほど湿っぽい。頭上には水が通っているプラスチックのパイプが入り組んでいるため、まっすぐ立つと頭がぶつかるほどだ。水が漏れているものも多い。しばらくすると、色々な悪臭が漂ってくるのに気づく。湿気にはじまり、各家の前で焚かれている香や炭の匂い、豚の内臓の腐った匂い、甘酸っぱい料理の匂い、生の（しかも腐りかけた）魚の匂い、工場からのプラスチックを燃やす匂い、磨き粉の匂い、白カビの匂いなどだ。電灯は暗く、水がどこからともなく流れていて路面を濡らしている。

路地のなかでも本当に狭苦しい道がひとつある。スポンジのように湿っていて、大きなドブネズミが走っているのだが、この道は天后古廟《テンハウグーミン》という道教の廟につながる。その中庭部分には頭上を覆うように周囲の建物から針金製のネットが張られ、ネット上はゴミの山だ。このため、自然光はほとんど遮断されてしまう。森の中で葉っぱの隙間からわずかに日が射すのと同じような状態だ。

このように、人々の営み、悪事、商売などがあらゆる制約を免れた結果、鮮烈な個性を持った肉感的な場所が生まれたのだった。

アパートの階段を上ってみた。ここに郵便を配達するのは大変だろう。路地にも区画にも名前や番号がないため、配達人は独自に工夫して各ドアに番号をつけていた。階段をさらに上っていくと、匂いが薄れて、空気がだんだん良くなってくる。周りが明るくなって、とうとう屋上にたどり着いた。

九龍城を南北に貫く4つのメインストリートのひとつ老人街（ロー・ヤン通り）。

外から見た様子。各階が同じ高さになっていない。

九龍城の中で、唯一広い空間が感じられる場所だ。ここから見ると、この巨大な建物が本質的にはひとつのまとまった建物であることがはっきりと分かる。

それぞれの建物は、異なる時期に、異なる高さで、異なる材質で建てられた。例えば一番大きなものは、有名な住宅建築家がデザインした香港の公共住宅を真似たものだ。一方、住民が自分で作ったレンガや鉄やプラスチックの「離れ」が屋上にあるものもある。そのすべてがひしめきあっているので、屋根のような高さとはいえ身軽なネコなら容易に渡り歩けるくらいだ。屋上には様々な役割がある。

九龍城ではゴミの取り扱いが破綻していた。生ゴミだけでなく、古いテレビ、壊れた家具、着古した衣服、ベッドのマットレスなども住人は屋上に捨てていた。こうしたものたちに囲まれながら、生活が営まれていたのだ。洗濯物が何千というテレビのアンテナに吊るされている。小さな子どもたちが石蹴りをするのを年配の女性が見守っている。鳩は堂々たる声で鳴いていた。そしてわずか10分ごとに、ジャンボ機が啓徳空港に下降していく。九龍城をかすめるほど低く、着陸した時に洗濯物がくっついていないのが不思議なくらいだ。

九龍城が魅力的なのは、その恐ろしいほどの欠点ゆえに、現代の建築家たちがどれだけお金や技術を投入しても作り得なかったものを、住民たちが独自に作り上げたという点にある。九龍城は「命ある巨大建造物」なのだ。永遠には残らなかったが、水の供給から宗教まで、住人の変わりゆく要求に応え続け、そこには大家族のようなぬくもりや優しさもあった。

この豪壮なスラムに日が沈むとき、一面は美しい朱色に染まる——。

仁德牙科

1990年に撮られたこの写真では、南側は木が植えられたばかりの新しい公園に面している。

ヤオ・ラップ・チェオン　元商店主

ヤオ・ラップ・チェオンは、1928年から1990年の第1立ち退き勧告まで九龍城で暮らした。中国・広東省東部の潮陽《チャオヤン》からやって来たときは20歳だった。

62年前初めて来た頃は、ここには誰も住んでいなかった。教会と老人ホームが一軒ずつあっただけ。九龍城の入り口には3門の大砲があった。

何年か経って日本人がやってきた。目が合ったときには頭を下げるように命令されていたが、気づかないと無視しちまう。すると「止まれ！」と怒鳴られ、1日、2日その場で立たされた。抵抗したら殺されただろうな。

九龍城では3、40年近く暮らした。店は13,000ドル（※香港ドル、以下同様）で譲り受けた。何千ドル分かのタバコと1,000ドル相当の薬も一緒にね。仲間が賭博場に出入りする客にタバコを売ってたんだが、大変になって私に引き継いだのさ。私は縫製工場の職人をだったんだがね。

兄と弟と一緒に店をやるほかに、場所貸しもしていた。6.5平方メートルで月6ドル。ダンスホールに賭博場にアヘン窟と危険な場所が集まっていたからか、商売は繁盛したよ。かなり荒っぽい客も多かったがね。城外ではオレンジジュースは1ドルだけど、ここでは2ドル。皮を剥いたヒシの実は5個で5ドル、10個10ドルで売っていたけど、元は1箱たったの20ドル！　1切れ4〜5ドルのパイナップルも元は10から20セント！　それでもみんな払ってくれたよ。値切られたことなんてなかったね！　いい稼ぎだった。月でだいたい5〜6,000ドルだったよ。

乾物や米などの商品は、香港島の南北行《ナムパクホン》（海産物問屋街）からまとめて仕入れていた。城内には店が少なくてね。悪いヤツらからよく金をたかられもした。でも絶対に払わなかったよ。一度払ったらおしまいだから。私が警察の幹部のリョンと知り合いだと気づくと諦めたみたいだ。リョンとは仲良くしてたよ。日曜日になると、仲間を10人くらい引き連れてラーメンを食べに来てたもんだ。

秘密結社の最大組織は潮州《チウチャウ》系の新義安（サンイーオン）といった。14K（サップセイケイ）という組織もあって、こちらはほとんどが広州《グワンヂョウ》出身者さ。この辺りには「大哥《ダイコー》（ビッグ・ブラザー）」と呼ばれるヤクザがいて、彼らは死ぬことを恐れていないと言われてたね！　ギャングもあちこちにいた。タムロしている若造はみんなギャングさ！　リーダー同士はいつもケンカをしていて、怪我が絶えなかった。血を流すことが勇気の証拠だったらしい。だけど殺し合いじゃない。血が流れると、それで終わりだった。

この辺りは、昔は本当に物騒でね。近くのダンスホールの外では、外国人記者が殺された。でも、九龍城で殺人事件があっても気に留める人はいなかった。（香港では販売禁止の）犬の肉が豚肉のように吊り下げられていることもあったけど、これも気にする人はゼロ。みんな、いろんな違法ビジネスに手を染めていた。城外では「九龍城に入るな。殺されるぞ！」と言われていたらしいね。

店をやっているときに病気で入院して、回復するのに1年ほどかかった。復帰後は、1日に18時間働かなくちゃならなくなった。弟と12時間交代だったんだが、ヤツが麻雀にのめり込んで仕事を嫌がってね。当時は24時間営業。ダンスホールなんかが昼夜問わず開いていたから。電気は通っていなかったので、ガス灯を使ってね。

弟はギャンブル好きで、一度始めると止まらない。いつも負けていて、ついにはヘロインの密売人になっちまった。私が警察に通報すると言ったら、足を洗ったけどね。うちの店のとなりでヘロインを作ってたんだ。1包み20セント、包みが大きかろうが小さかろうがね！

路地中はヘロインの売人だらけ。取引場所の近くにはバラックがあって、1日に10,000ドルにもなる賄賂が集まっていた。城内で逮捕者は出なかった。捕まったのは外の人間だけさ。

買う人間も多かったよ。中毒者は悲惨だった。体を油で揚げられるほうがマシじゃないかっていうくらい。あまりのひどさに、ついに警察が来てこの一帯を一掃したから、溜まり場は別の場所に移った。警察の手入れが大井街（タイ・チャン通り）で始まったときには、麻薬ビジネスは相当な打撃を受けたよ。これはそれほど昔の話じゃない。

知っての通り、ほんの2、3年前までは九龍城をウロウロするなんてできなかった。今では宝石をつけていても、振り返る人すらいない。近くの繁華街の大有街（タイ・ヤウ通り）では、金のネックレスが強盗の引き金になった時代もあったんだがね。

売春も減った。ここのちょうど反対側に昔は売春宿がたくさんあったんだが、今は売春婦も2、3人しかいない。昔はひとつの宿に10人以上はいたね。

店は5、6年ほど前にたたんだ。弟はギャンブルから逃げ切れなかった。ここに来るたび、なにかを盗んでたよ。甥と姪がいるが、面倒をかけたくなかったので、出て行って仕事を探すように言った。ここ数年は、私は彼らから仕送りを受ける生活。5階にも部屋を持っていて、その賃料が毎月1,000ドル入るし、金はそんなに必要ない。

この6、7年はほとんどこの部屋にいる。外出はしない。知り合いもいないし、それで構わない。外に行くと金がかかるからね。ラジオはよく聴いている。このところ入りが悪くて、広東オペラが聞けなかった。だから、300ドルほどで新しいのを買ったよ。半年前に社会福祉事務所の勧めで老人ホームに申し込んだ。もうそんな年なんだろうな。

ヤオ・ラップ・チェオンは店を閉めてから、光の射さない2×3.6メートルほどの部屋でほとんどの時間を過ごしている。自ら孤独を選んだ。その静寂を破るのはラジオから流れる広東オペラだけである。「自由を満喫しよう」という皮肉めいた言葉が入ったポスターで窓は塞がれている。かつてこの窓には隣のビルの壁が迫っていた。

迷宮への入り口。城内北側の東頭村道（トン・タウ・ツェン通り）から見た老人街（ロー・ヤン通り）。九龍城は坂になっているので、ここと南側にある龍津道（ロン・チュン通り）では４階分も高さが違う。城内を南北に横切る４つのメインストリートのひとつである老人街には、日の光が射す。衙門（清朝の代官所）の中庭があるので、ここだけに自然光が差し込むのだ。

老人街と交差する龍津路（ロン・チュン裏通り）。左手に魚肉団子工場があり、反対側には英国救世軍の幼稚園がある（P.126参照）。

昼間の仕事場は、夜は団欒の場になる。夜になるとホイ・トン・チョイの妻とふたりの幼い娘たちが麺作りを手伝ってくれるからだ。作業は深夜にまで及ぶこともある。子どもたちが遊んだり宿題をしたりするのは、小麦粉にまみれた作業台だ。

ホイ・トン・チョイ　製麺業

ホイ・トン・チョイは、1965年に光明二巷（クォン・ミン通り2番路地）の裏手で製麺工場を始めた。妻とふたりの幼い娘がいる。

1947年に叔母と暮らすために香港に来たときは16歳だった。両親が死んじゃってね。育ったのは広東省の新会《シンホエ》。小学校にしか行っていないけどね。

来てからしばらくはブラブラしてて、そのうちいとこたちと麺を作る仕事を始めた。それから仲間のひとりと製麺工場を立ち上げたんだ。機械を買う金はなかったけど、小麦粉は掛けで売ってもらえた。1日にひとり5〜6パック、だいたい300玉作ってたかな。ここは狭いし、重労働だよ。1980年のピーク時には５人を雇って、1日に1,000玉は製造していた。配達のためにも、若いのをふたり雇ってね。朝当番と夜当番。けど最近の若者はこんな仕事は続かない。だから今は自分でやってるよ。相方は病気になって、辞めちまった。今はなんとか食べていけるってところかな。朝起きてからずっと仕事のことで頭が一杯ってわけでもない。

九龍城を選んだのは、賃料が安いし営業許可証がいらなかったから。城外で商売しようと思ったら、政府からいろいろな許可をもらわなくちゃならない。労働に、衛生に、消防。九龍城は中国の領域だから、なにをしていてもそんなに問題じゃないのさ。

九龍城にはかれこれ25年くらいいる。前は西頭村《サイタウツェン》（1985年に取り壊された隣接地区）に住んでいた。ここに来たばかりのときの賃料は月たった100ドルだったけど、今は1,300ドルする。この建物は、元は3階建てだったんだよ。建て替え工事中の8、9カ月間は隣の棟に移ってた。

上にも部屋はあるんだが、料理とシャワーはここでしている。子どもたちは宿題もここ。近所はみんな顔見知りで、この数年はなんのトラブルもない。だんだん人が減っているのに、ネズミとゴキブリが増えているのは問題だけどね。

19

日用雑貨店を営むチャンおじさんは、店の陳列を現代風にして満足げだ。その小さいながらも個性的な店は、龍津路（ロン・チュン裏通り）にある。常連客は、紐、料理用油、石鹸、醤油、ビールなどを買ったり、ただ世間話をしに来たりする。白黒テレビがいつでもついている。チャンおじさんは猫好きで、この写真を撮ったころには7匹飼っていた。城内の商店主の中でも無口な方で、かつ60歳という年齢にも関わらず、九龍城の取り壊し一掃計画に怒りをあらわにした。彼は城内での生活を楽しみ、ここを愛していたのだ。

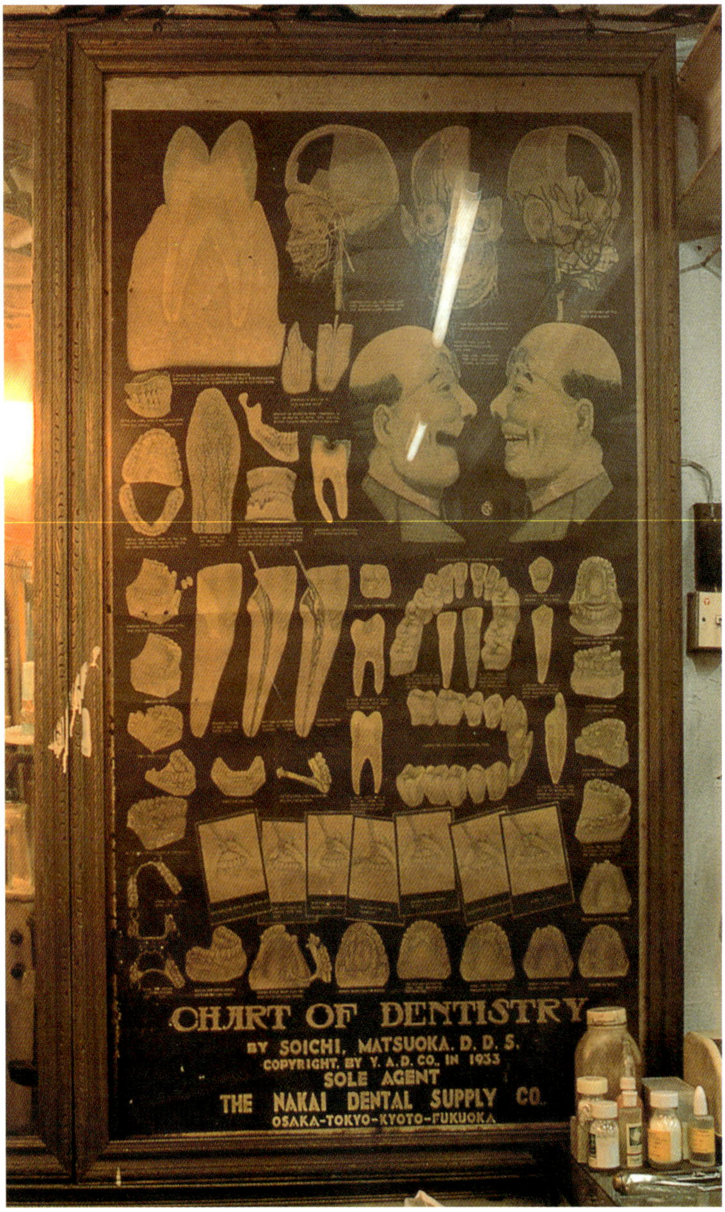

日本語と中国語で書かれた解剖図は、戦前のものも残っている。このラム・メイ・クォンの「プロ意識」が、主に労働者層の患者を安心させている。

ラム・メイ・クォン　元歯科医師

1912年に中国の汕頭《スワトウ》で生まれたラム・メイ・クォンは、第2次世界大戦勃発の直前に香港にやって来た。1949年に龍城路（ロン・セン通り）4A番地で歯科クリニックを開き、建て替えはしたものの、42年間ずっと住み続けた。立ち退き命令により、1991年にこの地を離れる。

歯の治療を勉強したのは、汕頭で。ある医師の下で見習いをしてたんだ。香港には生活費を稼ぐために来た。女房と一緒にね。日本軍の占領中もここにいた。近所の家を、歯を治療しながら歩いて回っていたよ。

診療所は40年ほど前に開いた。最初は借りていたけど、後になって買い取ってね。ここは東門路（トン・ムン通り）という名前だったのが、龍城路に変わったんだ。家はほとんどなくて、人もあまり見かけなかったね。

昔は、歯を1本抜くのはたった3ドルだった。最近では最低でも200ドル、高いときには700ドルもかかる。患者は色々だ。中国人が多いけど、インド人もいるよ。

それから、通りを渡った所にクリニックを建て替えた。300ドルほどで買った丸太小屋だったんだが、20年ほど前には10階建てのビルにした。100,000ドル以上かかったね。各階は47平方メートルほどの広さで、4階分を自分たちで使って、残りは各階30,000ドルで貸していた。ビルが出来上がるまでには何カ月もかかかったね。設計は業者がやってくれて、電気や水道も手配してくれた。

ここでは家賃はいらない。九龍城がなくならない限りは一生ここにいたかった。今はどこへ行こうか頭を悩ませているよ。

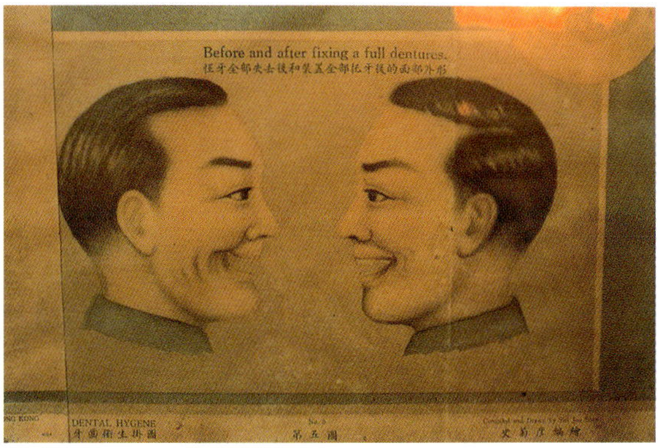

広々として小綺麗なクリニックは設備も比較的新しい。これらは中国製のものか、日本の中古品を輸入したものだ。ラム・メイ・クォンが、九龍城で最も成功した歯科医であることがわかる。

女性が福徳古廟で地神をお参りしている。3度おじぎをし、火のついた線香を掲げ願い事を唱える。このように仏教、道教、アミニズムが混在しているような寺院では、供え物がされているのが普通である。

言い伝えによると福徳古廟——というよりは実際は祠——は、中国の都から香港に神の像を運んできた宋朝の皇帝が建立した。もともとは九龍城の北端にある東頭村道（トン・タウ・ツェン通り）にあったのだが東側のこの地に移されたので、現代風の建物である大牌档（ダイ・パイ・トン、屋台）や歯医者の並びに混じっている。ここは九龍城の内外を問わず、潮州（チウチャウ）出身者に親しまれてきた。マイナーながら香港では有名な神である福徳（フォッダッ）は、この地の住人を守り、幸運をもたらしてくれると言われている。参拝客の大半は女性で、願い事は恐らくは日常のささやかな幸福だ。息子の試験の合格だったり、なにかがうまくいくことだったりだろう。この廟の建つ低層建物が並ぶ一帯は、地図上は人は住んでいないとされていた。かつての城砦部分と区別がつきにくいからだ。しかし九龍城の一部とみなされたため、ここの住人や商店も九龍城内と同じ補償や代替の場所を提供された。

ホイ・クォン　潮州《チウチャウ》音楽クラブメンバー

ホイ・クォンはこのインタビューを行なった1991年で75歳。潮州《チウチャウ》音楽クラブの現役メンバーだ。1961年より九龍城に住み、城砦福利会の会計係を長年にわたって務めた。

昔はマレー半島に住んでいてね。華僑は皆そうだと思うけど、日本が中国を侵略したときは本当に気がかりだった。満州事変や蘆溝橋事件での侵略については、学校でも教わったよ。教師たちは中国を支援すべきだと煽っていてね。中国に加勢する軍隊を結成しようと寄付も集められていた。私は当時小遣い稼ぎに劇場で働いていたんだが、卒業前には高校を辞めて、参戦するために中国に戻った。軍事訓練は受けたが、主には中国国民党の南部での活動に従事して、戦争の第一線には立つことはなかった。

日本が降伏した1945年の数年後に香港に来た。共産党と国民党の内戦中だったが、それには反対だった。戦いたかったのは日本だけだったからね。マレー半島に帰ろうとしたんだけど、香港に来た時点でパスポートの期限が切れちまった。香港には仕事がなかったから、しばらく中国の深圳《シェンチェン》に行った。でもここでも仕事はなくて、結局、広州《グワンヂョウ》で旅行代理店を立ち上げた。しばらくは順調だったよ。インドネシアが中国人をたくさん強制送還して、他の国の華僑も続々と革命に参加するために中国に戻ってきていたから、そうした人々を受け入れて面倒を見てたのさ。このころ結婚もした。30歳だった。劉少奇が国家主席だった時代は本当に良かったよ（劉少奇が主席になったのは1959年）。

だが「国有化」の波が来て、こうしたビジネスが取り締まりの対象になった。我々は密入国で摘発されて、投獄や国外追放に遭った人もいた。私はマカオに移って、香港への密入国の手助けを始めた。ブローカーだね。当時、マカオの人間が香港へ行くのはとても難しかったから。

妻と娘を連れて来たのは1965年。当時は生活が苦しかったので、九龍城に住むことにした。安いからね。プラスチック工場で働いていたのが幸いして、70年代は仕事に就けた。稼ぎはひと月に120ドルほど。子どもは3人になったが、全員の1日の食費は1ドルあれば十分。だから、子どもを育てながらなんとかやっていたよ。

時々は九龍城内を探検したけど、売春、麻薬、ギャンブル、なんでもありだったね！　まあ、こっちには関係なかったけど。城内には水道が通っていなかったから、外に水を汲みに行ったりもしたなあ。排泄物は汲み取り人に処分してもらっていたよ。

城砦福利会は香港政庁に対抗して結成された。九龍城の取り壊しが噂され始めた頃にね。我々にとっては生死に関わる問題だから。ここを出てどこへ行けるんだ？　福利会のトップは異議を申し立てたことで逮捕された。警察への暴行などを理由に告訴されちまったのさ。

福利会の活動が始まってからは、九龍城の衛生問題、厚生問題に着手した。不動産取引の承認も大切な仕事だった。成立した契約書に福利会の印を押して、取引をすべて登録する。ごまかしは効かない。1件ごとに200ドルの料金を取って、月に2～3,000ドルの収入になった。

私は結成当時からの有志メンバーだったが、その後はパートタイムになった。福利

ホイ・クォン。音楽好きが集まる潮州音楽クラブのメンバー。写真は中国木琴で、竹製の短いスティックで演奏する。

二胡を演奏するメンバー。2本の弦を持つ楽器で、中国音楽特有の物悲しい音を奏でる。潮州人に欠かせないお茶のポットがテーブルの上で温められている。

会は左派だと認識されていた。九龍城にも色々な思想派閥がある。右派とか、中国の秘密結社とか。城砦福利会は、人様の商売には関与しないことをポリシーにしていた。麻薬や賭博を商売にする人がいても構わない。こっちは排水溝のメンテナンスとか、衛生、厚生問題に取り組むだけ。資金が貯まってくると、歩道や街灯の整備にも乗り出した。他の団体との関係も良好だったよ。

中国政府とも関係はなかった。時々「レポーター」（中国の国営通信社である新華社の職員。表向きは記者だが、実質的には中国の領事館員）がやってきて、なんやかやと言ってたけどね。

城砦福利会には10年いた。私が会計係をしていたときの利益は700ドルほどだったが、引き継ぐ頃には200,000ドルを超えていた。私の在職中に、収入源を増やして不必要なコストを抑える努力をしたからね。大きな不動産売買も助けになってくれた。

ちょっとした小競り合いがあって、福利会は離れることしたんだ。長女が結婚して、婿と葵涌《クワイチュン》でカフェをする計画もあったから。結局その話は立ち消えたんだが、福利会は辞めちまった。その数ヵ月後には九龍城の取り壊しが発表された。

九龍城が取り壊されてしまうという兆候はたくさんあった。1984年の中英共同宣言では、香港返還後の九龍城に中国はなんの価値も見出していないということがわかった。九龍城が富を生んでいたのは明白だったのにね。ここでは商売に制約がない。営業許可証も登録料もいらず、ルールや規制や税金もなく、電気や水は安い。豊かでない人間にはピッタリだった。だが、ついに終わりだ。人が多すぎたんだろうな。建物自体が危険になっちまった。今にも崩れそうだからね。

実際には、この立ち退き命令で金をもらった人も多い。暗くて誰も買ってくれないような建物を建てた人でも補償されたんだから！　私は違うよ。補償されるものなんて持っていない。90％の人は私と同じさ。残りの10％の人は商売をしていた人たちだ。別に金持ちなりたいわけじゃないよ。残りの人生、平和に穏やかに暮らせればそれで十分だ。

中国に返還されると、香港人は誰の支配も受けなくなる。若者は今でも国という意識は持ってなさそうだがね。政治に関心がないんだろう。イギリスは若者を取り込もうと頑張っていたようだけど。九龍城には潮州人が多い。潮州人が集まって、団結し

たんだ。生き延びるためにね。一丸になればパワフルになって、強くなれる。それで食っていける。

潮州人の音楽グループがあるんだ。医者のホイ先生の一門が20年ほど前に立ち上げて、今ではメンバーは20人ほど。ほとんどは九龍城の住人だったが、最近は出て行く人も多くなった。専門は潮州音楽。中国音楽の中でも独特だよ。潮州人が潮州音楽を聴くと、心底、感動するんだよ。音楽は素晴らしい癒しさ。血の巡りまで良くなる感じだ。演奏していて、自分で酔っちまう！　金を取るプロじゃないが、コンサートもするよ。私はグループで演奏するのが好きだから、とても楽しんでいる。歌い手もいるんだよ。男も女も。メンバーは、若者、中年、老人、いろんな世代の人がいるよ。

90歳のラウ・ユー・イーは龍津一巷（ロン・チュン通り1番路地）の外れにあるアパートの、小さく格別に湿度の高い部屋に嫁と住んでいる。息子の嫁が舅姑（きゅうこ）や他の家族の世話をするという中国の伝統に倣っている。ふたりの配偶者はそれぞれ亡くなった。これは珍しいことではなく、婚姻という絆でつながった世代の違う女性同士が一緒に暮らしている。

もともとは広東の出身で主婦だったラウ・ユー・イーは、28年間九龍城に住んだ。息子が生きていたときは、同じ建物の下の階に住んでいた。嫁の日課は、姑を隣りの公園に連れて行って中国伝統の化粧をさせてやることと、老人センターに連れて行ってお茶を飲んだり友人に会ったりさせてやることである。

ウォン・ホイ・ミン　漢方医師

1920年、中国・広東省の普寧《プーニン》で生まれたウォン・ホイ・ミンは、若い頃タイで暮らしていたが、満州事変での日本侵略に対する軍事作戦のため1938年に中国に送還された。中国本土にある自宅に妻子を残し、単身で香港にやって来たのは1949年だった。

中国からやって来た頃は、香港島の苦力《クーリー》（※肉体労働者）ギャングのリーダーだったんだよ。武道の心得があったんで、ケンカで怪我をしたヤツがいたら治してやっていた。タイにいた頃には、医学とカンフーをかじってたんだ。それから中国に戻って、潮州《チウチャウ》で医学の専門家について勉強した。

医者を真剣にやってみないかと勧められて、友人が事業許可を取るのに協力してくれた。香港島の永楽街（ウイン・ロック通り）で開業して、後で皇后大道（クィーンズ通り）に移った。でもそのビルが取り壊しになっちゃって、九龍城に来たんだ。賃料が安いからなんとかやっていけそうだったし、週1回武道を教えに通っていたからここのことはよく知っていた。

武道の生徒にはいろんな連中がいたよ。運転手、魚屋、工場労働者、エアコンの修

理人、日雇い労働者。なんでもありだった。彼らは護身術として習っていた。香港では、護身術をやっておくと安心だから。生徒からは金はほとんどとらなかったね。彼らは香を焚いてくれたし、時々、食べ物や果物を持ってきてくれた。それで十分だった。ここに来てからは、生徒は4人しかいない。彼らには、誰かから攻撃されたときの対応法を主に教えていた。最後の生徒がいなくなってしまってからは、新しい生徒は取っていない。

この辺の「大哥《ダイコー》（ビッグ・ブラザー）」たちのことはよく知っていた。彼らは潮州人で、私もそうだからね。でも、なるべく関わらないようにしていたし、ヤツらも一目置いてくれていた。面子を立ててくれたんだろうね。私は水道代すら払っていない。近所の人とは仲良くしている。この辺の子どもたちは「おじさん」と慕ってくれているよ。

この部屋を麻雀荘にしたこともあったなあ。部屋に机を2台置いて、やりたい人に手数料をとって貸す。でも、数年前に止めたんだ。部屋が狭かったから、麻雀目的の人がいるときには患者の治療に集中できなかったから。女性の患者は、たとえ治療のためでも、こんな状況で服を脱ぐのはイヤだろうしね。

患者はリウマチの人が多いね。他にもケンカで怪我をしたとか、背中が痛むとか、体がしびれるとか。私はまず、それらの状況を詳しく書き留める。主な症状を見極めたら、吸玉を使った吸引療法（カッピング）や、漢方の湿布などを施す。マッサージやストレッチも取り入れるよ。温めた漢方薬もある。リウマチの患者はよく買っていくよ。ほとんどの患者は観塘《クントン》（九龍の工場地区）から来ていたが、沙田《シャティン》や香港仔《アバディーン》といった遠方の人もいたね。

私の信念は完璧に治すことだ。去年、腕を動かせない男性がやってきたんだが、今は完全に復活している。麻痺だって治したことがある。よく覚えているのはインという男性だ。彼は足を切断する危機にあったんだが、手術を拒んで私の所に来た。治してやったよ。今では彼の息子、娘、娘婿、みんな私が見ている。他にも、ある警官が誰かからの紹介でやって来てね。彼は松葉杖をついていたんだが、私は使わないようにさせた。すると、ついには使わずにすむようになったんだ。

診察料は決めていない。患者が金を持っていそうなときは多めに、持っていなさそうなときは少なめに金額を提示している。観塘から来ているある患者は八百屋なんだが、治療費はいつもタバコ1カートン！　ひとりあたり400ドルから500ドル取れればいいんだがね。収入は決まっていない。何日間も、何週間も患者がひとりしかいないこともあるからね。

九龍城に来たときから、ずっとこの部屋にいる。賃料は初めは月に150ドルだったけど、300ドルにまで値上がりしたから、買うことにした。本当は出て行けと言われたんだが、追い出されはしなかった。けど、今度は出なくちゃいけない。140,000ドルは補償されるらしいが、それで漢方医になにができるというんだろう？　不公平だ。他の医者たちはもっともらっているらしいのに。

この建物にはすぐ慣れた。日が射さないから、住み始めたころは体調が悪かったけどね。エアコンは2台あるが、ひとつはうるさいから1台しかつけていない。換気扇は一日中つけている。風呂とトイレは外で、他の人と共用。料理はここでできる。いつも自分で用意するよ。上に住んでいる友人が下りて来て、夜は一緒に食べるんだ。

妻は亡くなったが、息子たち、その嫁たち、それに11人の孫が今でも中国に住んでいる。香港にいるのは私独りさ。彼らは電話をしてくるし、深圳《シェンチェン》で定期的に会っている。いつもおみやげを持っていくよ。Gパンとかね。去年は、2度ほど中国に帰った。次男と孫と一緒に香港で暮らせるように申請中なんだが、まだ許可は下りていない。

今はその日暮らしの毎日さ。不安はないよ。自分で作った薬用酒を1日に2回飲んでいる、1滴ずつね。おいしくて栄養満点の酒だ。体に良い薬草や乾燥野菜なんかが入っている。飲むかい？　ちょっと甘いよ。

城内東側、南側にそびえ立つ典型的建物。違法な増築部分は外観の特徴だが、香港の古い低所得層者の住まいには今でも見られる。鳥かごのようなバルコニーは限られた居住空間にスペースに与えているだけでなく、ともすると単調で特徴がないとも言える建物に生活感を与えている。目立つのは全体に張り巡らされたテレビケーブルだ。10階分以上も伸ばされて、屋根の上のアンテナ群に届いている。

水の供給　チャールズ・ゴダード

他にも色々あるものの、安全な水の確保は九龍城での最重要課題のひとつだった。政府は各建物、住居、工場をつなぐしっかりとした供給システムを造ることは避けていたため、九龍城の住人や商売人が水を得るには、個人業者に頼むか城内の井戸から汲み出すかしかなかったのである。秘密結社は、近くの水道管から違法に水を引いていくことで対応していた。

何年にもわたる交渉の結果、安全な水が出る水道が数カ所に設置されることになったが、これだけでは足りなかった。1987年までに8カ所できたが、33,000人の住人と何百という工場すべてに供給するのは不可能に近い。しかも城内にあった水道はひとつだけで、他はすべて城外にあるため不便だった。

初めて上水道が入ったのは1963年だ。政府の通達では「無料で制限量もない」となっていたが、実際はそうではなかった。城砦福利会の代表者は1964年に香港政庁の華民政務司に深刻な水不足を訴えたが、効果はなかった。その年の干ばつの結果、4つの緊急用給水栓も取り去られ、水道は5カ所になってしまった。住人は業者に頼むしかなくなった。月に12から15ドル払って、1日に灯油缶6缶分の水を、ガラクタでいっぱいのアパートの2階、3階、4階にまで運んでもらっていた。

各世帯に水を運ぶ商売は、1960年代から70年代前半の繁栄時に九龍城がどんどん高い建物になるにつれて難しくなった。水を多く使用する工場も増え、新たに井戸を掘り起こすことが必要になった。掘ったのは、主に自分の土地を提供した地主だった。水運びを仕事にしていた人もいる。

昔も城内に井戸があった。1987年の取り壊しに伴う政府の調査では、67の使用可能な井戸を40あまりの供給者や業者が保有しているとされていた。だが、これまでに300もの井戸が長年にわたって酷使されたため埋められたという。また、浅い所ではほとんど水が出尽くしてしまったため、最近の採掘では地面から100メートル近くまで掘り下げられている。民間の採掘業者がこの仕事を請け負っている。

各世帯に配水するシステムは、荒削りで

間に合わせのものである。水はまず屋根の上にある原始的なタンクにポンプで汲み上げられる。そこから各場所まで、曲がりくねった寄せ集めのパイプで下っていく。建物の高さや井戸からの距離にもよるが、このしくみを作るのにも数千ドルかかる。1980年後半では、場所の条件に関わらず月々の支払は1世帯あたり50から70ドルだった。

多くの人はこの高い料金を払えなかったというデータもあるが、ほとんどの世帯は水の供給を受けていたようである。だが、問題はまだ続いた。水圧とポンピングの難しさから、タンクへの給水ポンプはたいてい正午と夜中の数時間しか作動されなかった。だから供給が数時間に限られてしまう。住民は風呂やバケツに水を汲み置きしておかなければならないす、そのため20人ほどが雇われて各井戸のスケジュールを管理していた。

さらに、井戸水の最大の問題は、飲めないということだった。鼻につく匂いと汚さ。井戸水は都市生活と工業の操業から出る汚れに犯されていた。沸かしても使えない。飲料、料理用には公共水道から運んでくるしかなかく、ある小さな業者がこの運搬をずっと請け負っていた。

衛生面は大きな問題だった。政府と城砦福利会が1970年代に下水管を導入するまで、ゴミは路地横の排水溝にそのまま捨てられていた。この汚水が地中に染みこむので、土は汚染された大きなタンクのようになってしまう。そのため、特に浅い井戸では汚染は避けられなかった。

下水管の導入は、政府が強制的にでも行なおうとした。基本警備、街灯配置、福祉サービス、ゴミの撤去と同様、これは不介入のルールを超えた例外だった。別の言い方をすると、政府は法から外れた（違法という意味ではない）九龍城独自の管理を許可せざるを得なかった。だが、下水やゴミは公衆の衛生に関わり、しかも城外の人の健康にまで影響しかねないからだ。

各世帯への水の供給を技術的に難しくしていたのは、九龍城の構造だった。まず政府が問題にしたのは、建物があまりに過密なので、水や排水を貯める場所がないということだった。次に道が狭いので、水道管からのわずかな水の漏れでも生活に支障をきたす恐れがあった。色々言われていたが、結局は政府が九龍城を永存させる気がなかったことが一番の問題だった。

井戸も水不足を補うには十分ではなかった。その結果、隣接する西頭村《サイタウツェン》や美東《メイトン》団地からの違法な水の引き込みが横行していた。この違法ビジネスは、秘密結社が独占していた。彼らは建物の建設にも関わっていたので、新築する際には上下水道の設備を保証することができた。基本設備だけだが、買い主にその利点を印象づけることはできた。

水の供給業者も競争していた。特にオーナーがひとりでない建物内では顕著であった。一度ある業者から供給を受けると契約が成立する。住人は支払い期限をほぼ守っていた。水がもらえなくなったり、パイプを傷つけられたりしては大変だからである。料金は、運用をスムーズにするため、そして役人への賄賂のために必要だと説明されていた。命がけの住民もいた。1980年に値上げを宣言した秘密結社のリーダーの言葉が良い例である。「値上げに反対するヤツがいたら、公衆の面前で首を切り落としてやる」。そのうち秘密結社はこの「ビジネス」に見切りをつけた。だが違法な水の引き込みは、最後まで飲料水を得る主な手段となり続けた。取り壊しの関係者は、この行為を放っておくことはできなくなった。33,000もの人々と700ものビジネスを67の井戸だけで賄うのはもはや無理だった。見ないふりはもうできない。違法な供給をやめれば、住民は困り、反感が高まってしまう。こうして、九龍城を取り壊して問題を一気に解決することに決まったのだった。

19世紀から唯一残る天然の井戸（上）は大井街（タイ・チャン通り）から少し外れた、政府の公共水道(左ページ)の近くにある。かつては飲用可能だったが、1970年に入って禁止の警告が出された。

新金髮型屋

ほとんどの世帯が70ほどある私有の井戸から水の供給を受けていたが、安全な飲料水は8カ所の公共水道からしか手に入らなかった。このうち九龍城内にあったのは大井街のものだけであった。時間帯によってはバケツや容器を持った人が列をなしており、1日中住人の誰かがいた。野菜や皿や、自分の髪の毛まで洗う人もいた。水道の周りに見えるたくさんのホースは、多くの食品工場から引かれたものである。この地帯には自然と食品工場が集まっていた。このホースで自分たちの工場内にある小さなタンクに定期的に給水していた。

チュウ・イウ・シャン

不動産ディベロッパー

1951年生まれのチュウ・イウ・シャンは九龍城育ちで、成人してからも九龍城を出ずに過ごした。長い間不動産の開発や仲介業をしていたが、取り壊しが宣言されて将軍澳《ジャンクベイ》に移転した。

両親が店をやっていたから、13歳になると近くの施設に飲み物を配達して回ってたんだ。アヘン、ギャンブル、ポルノショーなんかをやっている場所にも行っていたよ。

そのころが九龍城の最盛期だったね。大井街（タイ・チャン通り）が一番賑やかだったかな。日本からの旅行者とか、映画スターも観光に来てたよ。犬の肉を食べに来る有名人もいた。警官もこっそり来ては、賭博場やアヘン窟から賄賂を取っていた。

それから不動産ビジネスで、売主と買主の仲介役を始めたんだ。それまではいろんなインチキがまかり通っててね。自分のものでない土地建物を「売る」と言って、内金をもらったら逃げるとか。自分のアパートを貸し出していたおばあさんのケースだと、彼女が死んだ後で借りていた人たちがアパートは自分のものだと主張したんだ。証拠がないし、九龍城には縁のないおばあさんの家族はなすすべがなかったんだよ。私は九龍城に長年住んでいるから、誰が建物の本当の所有者かすぐわかる。井戸の所有者とも知り合いで、彼らも色々協力してくれたよ。

この仕事で月に20,000ドルほど稼いでたら、九龍城一の不動産屋になったんだ。みんな、私に自分の建物を任せてくれた。彼らが値段を提示し、それが妥当あれば私が代理人となって売る。修繕とか掃除とか、多少は手を加えたけどね。

1960年代以降は、城砦福利会が不動産取引に介入することになった。私はたまに証人になっているよ。城内では不動産の売買をしている業者は3社ある。他にも不動産会社はあるけど、住人が賃料や水道代を収めに来るだけ。そうすると、集金人が各世帯を回る必要がないからね。

水問題は深刻だよ。井戸の所有者は、ポンプに通じる栓を閉めて数日いなくなることがある。一帯の住人には知らされないからポンプが壊れてしまったと思い、それを直すのに各人が300ドル徴収される。井戸の所有者がギャンブルの常習者なんだよ。マカオのカジノで負けたら、水をストップさせたりするのさ。

よそから水を盗んでいることはみんなわかってた。一番大きな水道管は濃香冰室《ノンヒョンカフェ》の下にあった。水を「解放」している人もいたけど、秘密結社が聞きつけてお金を脅し取っていたみたいだね。

井戸の水は廃水みたいに汚い。飲むなんて無理だよ。きっと死ぬと思う。飲料水はどうしてたかって？　屋根の上のタンクに貯められて、パイプを通じて主な建物に供給される仕組みになってたのさ。コネを使って水の使用を24時間保証する建主もいたけど、どこでもそういうわけにはいかなかった。

井戸の所有者は、補償として200,000ドルも受け取るらしい。だけど、幹線から盗んでいた電気を住人に売っていた「貧乏電気会社」は補償ゼロ。工場なんかは1カ月に数百ドル支払って使い放題だったらしいけど、正規に払ったら千ドル以上はしていただろうな。

私が政府からもらう額は、教えたくないなあ。そこそこにもらえた歯医者と同じく

50ほどある民間の水供給者のひとりであるチャン・シンは、毎月の料金を顧客から自分で集めて回る。お年寄りからはお金を取らないこともある。彼曰く「みんな貧乏だから、助け合わないとね」。

頭上にあるパイプのカオス。ほとんどのものに漏れ、腐食があるが、巧妙に直されている。井戸水の水路だ。建物には上下水の設備がないので、こうしたパイプが剥き出しになっている。井戸水の状態は場所によって違う。北部では濁ってドロドロしていて悪臭があるが、他では油膜やススのような浮遊物がある。取り壊しを迎えるまでに、井戸が近代的な生活や工場によって重度に汚染されてしまった証拠だ。

らいかな。ここでそんなに儲けていた人はいないと思うよ。1年で30,000ドル稼げてた人もどれくらいいるんだか。今回は誰でも——商店も、肉団子メーカーなども——歯医者くらいの補償を求めている。だからみんなまだ居座っているのさ。

九龍城が取り壊されても、終わりじゃない。私はこれからも商売人だよ。

九龍城が政府の管理やサービスを受けなかったというのは誤解である。この「飛び地」では、香港の他の地域では「強制」されることが「推奨」しかされないということはあったが、色々なことが行なわれていた。例えば、市政総署によるゴミの回収は重要だ。城内に毎日2トンずつ溜まっていくゴミを撤去することは、政府にとっての最優先事項だった。衛生面（増えすぎたネズミへの対処など）の問題だけでなく、火事の危険性をなくすためでもある。オレンジ色の市政総署のバケツがあちこちに置かれ、城内を回る10人の清掃人が回収ポイントから収集するという合理的なシステムが出来上がっている。ゴミ問題においては、九龍城住人は良い市民とは言えない。だが彼らも時には屋根や路地を掃除するし、城砦福利会も毎年、頭上に張り巡らされたパイプや電気ケーブルの整理をしたりしている。1960年代から70年代前半にかけて、下水管がなく通りの横に剥き出しの排水溝があった頃には、市政総署にはより過酷な仕事もあった。排泄物の他、公衆便所に野ざらしになっている麻薬中毒者の死体なども回収しなくてはならなかった。

地下

日光が通りまで届くことはほとんどない。建物同士にわずかな隙間がある所も、ビニール袋やゴミで遮られてしまっている。スペースがあると、洗濯物が干される。城内のほとんどの狭い路地では、ただでさえ陰鬱で暗澹としている上に、光は途切れ途切れに漏れてくるだけである。

モク・チュン・ユク

電気工事エンジニア

中華電力（香港の電力会社）に1960年代半ばから勤めていたモク・チュン・ユクは、70年代後半から80年代前半にかけての九龍城電気引き込み工事における主任エンジニアのひとりだった。写真撮影は拒否した。

電力会社が九龍城に電気の供給を始めたのは1977年です。それまでは――50年代から一部では始まっていたようですが――、正式には周辺の一部地域でしか供給されていませんでした。供給ポイントは東頭村道（トン・タウ・ツェン通り）と連合道（ジャクション通り）にありました。

電気はすべての住人に絶対に必要だったわけではありません。会社では、全体への供給は難しいと判断していました。良くない商売もたくさんありましたから。結局1977年には、合法的な建物に関しては電気を供給するという結論に至りました。

大火事が起きて、このままにはしておけなくなったのです。我々が電気を引くプランを立てて、政府が供給の対象となる建物を選別しました。1977年から85年にかけてが大改革でした。城砦福利会とは綿密に連絡をとり、政府も協力しました。後の中英共同宣言の直前に、中国はイギリスに対して、事を円滑に進めるために、城内で最大限の権力が行使できるよう求めたそうです。

最初は、なんらかの形で電気を使用している世帯は20%くらいだろうと見積もっていたんですが、もっと多くて驚きました。近所で電気がついているのを見ると、そこに尋ねて申し込むという連鎖反応だった様です。

私は基礎工事担当で、初期調査を行ないました。最初に九龍城に行ったときのことは良く覚えています。少し足を踏み入れただけで、引き返してしまって！　とても恐かったんです。我々は地味な格好をして、お上から来た人間だとはわからないようにしていました。通りや路地に慣れたところで、地図や設計図を取り出しました。最初の何日間かは住人の誰とも話さず、ここの空気に慣れるので精一杯でした。

最初の数カ月での心配事はふたつありました。ひとつはなにが起きるかわからない

無秩序に並んでいるように見えるメーターだが、ちゃんとある順序になっている。細かな手順書に従って、検針員――灯りを持って、犬除けをつけている――は１日に400から500のメーターをチェックした。

という不安、もうひとつは、なにが問題かわかってもそれに対処する方法が見当たらないかもという不安でした。厄介なことはすぐにわかりました。狭い路地、汚れ、ゴミ、そして人々。同僚はひったくりに遭いました。相手は麻薬中毒者だったみたいで、30ドルでも盗られました。ヤクザとは争いになったことはありません。このプロジェクトには、政府の色々な部署や警察までもが関わっていましたから。もちろん城砦福利会も協力していました。住人のほとんどは電気の必要性を理解していたので、大変な事態にはなりませんでした。

技術的にも難問が多かったです。城内はパイプとワイヤーの迷路と化していたので、どこから手をつけたらいいのかわからなくて！　結局、外側から内側に進めることにしました。路地は本当に狭くて、ケーブルを埋めるために地面を掘り返すのですが、掘り始めると石や岩にぶつかってストップしてしまう。今度は舗装のレベルを上げたいねって話してましたよ！

ケーブルを通すのは大変で、試行錯誤でした。住人は我々がやって来て、壁のケーブルをいじるのを嫌がりました。事前に説明をしたこともあります。ケーブルが人の所有地（建物、部屋）を通らなければならない場合もあり、その場合は、電気を受ける人と所有者で交渉してもらいました。実際には、下の方の階にだけコンセントを取り付け、建物のオーナーに上につないでもらうことが多かったです。建物はご承知の通り折り重なるように建っていて、所々は傾いていました。一番上の階まではつながらないケースもありました。もちろん、すべて点検しました。

当時、香港経済は右肩上がりでした。人々の暮らしは豊かになり、電化製品が売れ、人口も増えていました。九龍城も最盛期で、新しい建物がどんどん建てられていました。これらすべてが電気の需要へつながったのです。

城内での電気の需要が増えるにつれ、2本の高圧ケーブルを入れることが必要になり、変圧器のための場所を探しました。やっとのことである教会を説得でき、23平方メートルほどの場所を借りられました。そこが経営する学校を修繕するのが条件でした。政府とも交渉を続け、火事の危険性を理由に場所を空けてもらい、さらに2カ所に変電所を設けることができました。この件については何年も話し合いを持っていたんですが、最終的に許可が出たのは1984年です。変電所を造るのに3年かかったら、政府が取り壊しを発表してるじゃないですか！

この頃までにはほとんどの住居には電気が供給されましたが、工場には行きわたりませんでした。こんなに多くの工場があるとは知らなかったのです。供給には余裕をみていたのですが、需要を少なく見積もり過ぎていたため、工場を見つけるたびに、供給量を修正、調整するという急場しのぎをしていました。九龍城の電気の使用量は相当なものなのです（最も使用量が多かったのは1985年と86年）。

もちろん、盗まれた電気が使用されていることもありました。私たちの会社から大量の電気を盗むのも、もはや簡単なことではないんですけどね。盗用電気を使用している工場主たちは、我々を見ると容疑をかけられそうな証拠を素早く隠しました。盗用電気が極端に安いわけではないことは、皆わかっていたようです。我々の所から直接使用すれば、少なくとも脅しやゆすりに

汚れにまみれているが、これがカオス化したワイヤー群の典型である。１階のメーター置き場から各建物に延びて、外の壁に剥き出しになっている。

350もの城内の建物のうち、エレベーターがあったのは2棟だけであった。他では10～14階もある建物にも階段を使わなければならない。最上階近くに住んでいる人は、相当な労力を強いられた。だが、場所によっては九龍城独特の建物同士をつなぐ階段や、異なった高さを結ぶ橋があったため少しは楽だったようだ。これらは——ある意味では系統立てられて——1960年代から70年代前半の建設ブームの際に造られた。例えば、3～4階の高さであれば地上に足を一度もつけないで、城内を北から南へ横断できた。ひとつの階段が、3つ4つの建物につながっていた。

あうことはないでしょうに。

かつては、電気を盗んだ人間を捕まえることは大変でした。理由のひとつは、私たち電力会社の社員が、城内の奥まで入りたがらなかったからなんですがね！　たとえ盗まれてしまった後でも、警察は呼んでいました。でも、彼らもここではあまり権力がありません。九龍城は昔から特別な場所で、警官さえ入りたがらなかったのです。彼らが強行突入しても、なにも見つからないことが多く、逮捕した人間が後で無実だとわかったこともありました。自分で電源を持っていると主張する人もいましたが、それは嘘ですね！　電力会社から盗んで、請求に上がらないようにしていただけです。見つけたら、ケーブルは切っていました。

九龍城に電気を引く一大事業は、香港政府だけでなく多くの人や機関が関わりました。この地の持つ歴史的背景と環境や状況から、我々は色々な変革と問題解決を強いられました。私は、九龍城の人々が出て行くことになったのは良いことだと思っています。政府が補償に金を掛けすぎだとは思いますが。立ち退き命令が出されてからも、城内の夜を楽しむ時間はあったでしょうし、これが彼らのためになることを願っています。

ラウ・ヨン・イン　織物業

ラウ・ヨン・インは12人兄弟の中から、父の織物工場を1982年に引き継いだ。西城路（サイ・セン通り）に小さな工場がある。

私は生まれも九龍城。父は第2次世界大戦終結の直前に香港にやって来て、ここで織物工場を始めた。故郷の広東でもやっていたんだよ。

九龍城は、私が子どもの時分はもう少しマシな所だったなあ。2、3階建ての石造や木造の家があるだけで。父の工場は龍津道（ロン・チュン通り）にあった。不法滞在だったと思うよ。帰りは毎日遅くてね。仕事仲間や取引先の人と啓徳道（カイタク通り）の向こうにあった華都《ワードゥ》レストランにいるのをよく見かけた。母も一日中工場で働いていた。私も宿題が終わった後に手伝ったりしたよ。

11人の兄弟姉妹がいたが、全員で一緒に暮らしたことはない。私が生まれる前から、姉のひとりは中国本土に残って、もうひとりは嫁に行って、兄も結婚していたから。私たち家族は工場に住んでいた。ベッドなんてなくて、眠くなったら毛糸を掃除して場所を作っただけだった。

昔は井戸水だったけど、やがて城外の水道が使えるようになった。量が制限されていた当時は競争だった。列の割り込みもしょっちゅう。私たちはそこで体も洗っていたが、女の子たちはバケツに水を汲んで自分の家の風呂に持ち帰っていたね。

学校からはまっすぐには帰らないで、寄り道して遊んでた。遅くなると母にぶたれたもんだ。丘の上や獅子山《ライオンロック》まで行って、かくれんぼをしたりして。一番の楽しみは、小遣いでサツマイモを買って焼くことだったな。

まだ小さかったときには、ここが恐い所だとは思っていなかった。でも14、15歳にもなると、賭博場や麻薬中毒者の存在に気がついた。中毒者がヘロインを吸いながら路地に1列に座り込んでいる光景はすさまじかったね。悪さ目当てに外から来るヤツらは、地元の人間に手を出すことはなかった。地元のヤツでも、悪いことをしてるのはいたよ。私の仲間も、何人かは秘密結社のメンバーになっていた。でも、普段はなにも変わらない近所の友達だった。家で相手にされていなかったり、家庭が崩壊していたりで、秘密結社に入ったみたいだね。

1960年代前半に、政府が九龍城を取り壊そうとして暴動が起こった。父は当時、城砦福利会の会計係をしていてね。取り壊し予定の3日前に、会は北京と中国政府に電報を打って、補償や新たに住む所を求めたそうだ。でも住民と警察が銃撃戦を始めてしまって。広州でも学生が英国領事館に侵入して、何人かは殺されてしまった。父によると、海外からは支援金が送られてきていたらしい。父は政治に関しては中立だった。城砦福利会では、台湾にも電報を打った。こうなったら、どこが一番気にかけてくれるかの問題だったらしい。城砦福利会の活動に参加したいという人が増えてくると、父は熱心に活動しなくなった。

私は左派の香島《ヒョントー》中学に3年まで通っていた。毎日毛主席の歌を斉唱して、言葉を暗唱させられた。私は素行の悪い生徒だと思われていた。クラスメートがうちの跡地——建て替えのため引っ越していた——に来て麻雀をしたことがあったんだけど、それを学校へのレポートに書いたヤツがいたんだ。それで、悪ガキ軍団の首謀者だと思われちゃって。教師は心配したらしいが、こともあろうか私が非行集団に入ろうとしていると上に報告したんだ。学校のお偉いさんが両親の所へ来たよ。それで、こんな学校を続けてもしょうがないと思って、辞めちまったのさ。

それからは洋服屋で修行をしたけど、数カ月しか続かなかった。次に、香港島で義兄がやっていた籐製品を扱う店で働いた。

織物工場の巨大な紡錘に囲まれたラウ・ヨン・インと幼い息子。城外の顧客がほとんどだったが、城内でモスリン（白の薄い平織り綿布）を製造していたユー・ヒン・ワン（P.150）とは定期的な取引があった。

ここに19歳までいた後、父の織物工場で21歳で結婚するまで働いた。それからまた、義兄の店に戻った。しばらくしたら、また戻って父の工場を手伝うように言われた。当時は弟が引き継いでいて、父は信頼していたんだけど、ヤツは金庫からお金を持ち出したりしていてね。その頃は手袋を製造していた。私は月に1,500ドルもらっていたよ。

7年前にこの第2工場を譲り受けた。父が元の持ち主を知っていたんだ。機械も込みで、全部で10,000ドル。弟は気に入らないようだったが、姉が金を貸してくれた。借金は1年で返せたよ。当時は身内6人で働いていた。私と妻を入れてね。でも今度は父が元からの工場を閉めることにしちゃって、90,000ドル近い借金がまたできちまった。

でも、当時は客も仕事もたくさんあった。大きい会社でも10,000ドルくらいの注文しかさばけないのに、1年ですべての借金を返せたんだよ。

色々差し引いた後の儲けは、良いときで月40,000ドル。従業員は出来高払いだけど、ひとりに月20,000ドルは支払っていた。手を休めることはないよ。一度布団に入ると、起きるのが辛かったなあ。1985年、86年になると、商売は落ち込み始めた。87年に少し持ち直したが、それからは悪くなるばかり。最近は皆、中国本土産の安い製品を買う。向こうは労働力が安いからね。色見本や商品サンプルは頼まれるが、みんなそれを持って中国に注文してしまう。

黄大仙《ウォンタイシン》で勉強している息子と娘がいてね。大埔《タイポー》にも公共住宅を借りていて、時々行くんだ。泊まることはほとんどないけどね。朝はラッシュがひどくて、子供たちが学校に行くのが大変になってしまうから。

この工場の補償額は103,000ドルらしい。200,000ドル要求したんだけど、面接があって——これにはあまり納得いっていないんだが——減額されたんだ。他に織物工場ができる場所があるとは思えない……賃料を払うにしても月に1,500ドルが限界だ。機械は売るつもりだけど、高くは売れないだろう。だから、別の商売をする予定だよ。父が協力してくれると思う。金も借りるかもしれない。おかしな話でね。うちの工場で5年前に作ったシャツなんかが、大埔で今でも売られているんだよ！

建物の名前と番号は、通常入り口付近にペンキで描かれている。城内の迷路のような路地の目印役だ。この写真では、少し消えかかっているが部屋を売りに出す広告文もあり、買いたい人は東頭村（トン・タウ・ツェン）の米屋まで連絡を、と書いてある。1987年の取り壊し前の調査では、所有されているものには白のペンキで番号がつけられた（右）。

D45/8/1-5up
→ TO9

リー・プイ・ユアン　商店主

リー・プイ・ユアンは九龍城に住み始めて15年後の1979年に、大井街（タイ・チャン通り）12番地に店を開いた。それから12年間、妻と息子とともにここに住み働き続けたが、退去勧告で1991年に九龍城を離れた。

元々は漁師で、仲間10人と1964年に広東省の海豊《ハイフォン》から香港にやって来たんだ。3隻の船に分乗して西貢《サイクン》に着いたんだけど、香港警察に捕まって三日三晩拘留されちゃってね。キリスト系の団体が交渉してくれてどうにか自由になって、やっと香港の親戚や友達と連絡がとれたんだ。

2、3カ月は友人と深水埗《サムソイポ》に住んで、それから九龍城の狭いアパートに移った。4家族20人以上がいたのに、広さは27平方メートル。私はその頃織物工場で夜勤をしていたんだが、日中はうるさくて眠れなかった。それに、姉やその家族と1部屋を共有していたから寝る場所もなかったんだよ。

だから、城内でまた引っ越した。九龍城で暮らすのは、最初はつらかった。暗くて階段から落ちたこともある。何度も中国に帰ろうと思ったよ。

九龍城に来るまでは、仕事を転々としていた。織物工場、毛織物工場、かつら製造工場。果物売りもやったし、建設作業員もやった。でもあるとき、落下事故で腕を怪我してしまってね。ついには小さな店を出すことにして、1979年にここに来たんだ。義兄が城内で同じような店をやっていたから、詳しくは教わって。店を引き継ぐのに16,000ドル、賃料は月300ドルほどだった。

行商人がしょっちゅう来ていたから、商品をそろえることは難しくなかったけど、掛けでの取引は絶対に許してもらえなかっ

リー・プイ・ユアンの店は角地にあるので、大井街（タイ・チャン通り）側にも（左、上）、龍津路（ロン・チュン裏通り）にも（P.56、57）面している。

た。必ず商品と引き換えの現金払い。九龍城では分割払いも断られることがあった。銀行からの貸付は受けられないし、保険会社も保証してくれない。事業を登録する必要はないんだけどね。私もそうやって始めたけど結構厄介で、税務署からいつも税金を支払うように追い回されていた。

客は常連がほとんど。みんなご近所さんだ。値段は城外とほとんど同じ。灯油や米は家まで配達したよ。米は2、30キロ、灯油はドラム缶1缶くらいなら、10階くらいまでは持って上れたね。

ここの賃料は、今は月に3,000ドルほどだ。毎日の売上は4、5,000ドル。みんな色々なものを買っていくよ。よく売れるのはタバコ、ビール、灯油かな。朝の8時から深夜まで営業している。前は夕方の5時から9時までが一番混んでいたね。うちは城内で一番大きな店なんだ。品揃えは小さなスーパー並さ！

KENT
雪山雪糕

KENT

リー・プイ・ユアンの店は前方が売り場兼生活のスペースで、後方には簡単な寝室があり、父、母、息子が一緒に寝られるようになっている。一家は店に住んでいたので、実質的にはプイ・ユアンと妻がテレビを消してベッドに入るまでが営業時間となっていた。

この辺りには工場が多かったんだけど、取り壊しが通告されてからはほとんど移転してしまった。ここも元は工場だったんだが、私が店に改装したんだ。だいたい65平方メートルかな。

商売は大して儲からなかったけど、生きていくには十分だった。妻も協力的だったしね。香港で出会って結婚したんだが、世界一の嫁さんだ。毎日毎日、朝から晩まで店を一緒にやってくれる。

ここでトラブルにあったことはないね。強盗にあったこともないし、みんなともうまくやっている。城外の人は九龍城の住人は野蛮人だと思っているらしいね。確かに生活環境は良くないけど。私たちはこの店で寝起きしている。朝の4時くらいまではとても静かなんだが、それからはゴミの回収人がガタガタと音をたてているよ。

九龍城の住人は差別されていると思うことがあるね。なにかあったのかって？　息子が学校に申し込んだときのことさ。狂ったように泣き叫んでいる子どもがいてね。息子はおとなしくしていたのに、その子が受かって息子は落ちたんだ。これは差別だったと思うよ。でも、今は違った目で見られている。城内の人間は金持ちだと思われているよ。

私はアパートを2棟持っていたから、政府から400,000ドルの補償を受けた。城外に場所を借りて、新しく商売を始めるつもりだ。これと同じような店か果物屋か。

政府と共産党には本当に感謝している。これだけの額を補償してもらったのだから。共産党の助けがなかったら、こんなにはもらえなかっただろう。彼らがどうすれば良いかを教えてくれたんだ。店の移転費用としても、80,000ドル支給される予定だ。

残念なのは、妻が騙されてここを安く受け渡すという書類にサインしてしまったこと。交渉すればもっと高くなったのだろうが、妻はサインしてしまった。ギャンブルで擦ったとでも思うしかないね。九龍城には長くい過ぎて、ちょうど飽きてきたところだった。みんな出て行っちゃって、私は一日中ボーっとここに座っているだけ。昔はこうじゃなかった。いつも誰かがいて、麻雀やおしゃべりを楽しんでいたんだけどね。

郵便箱はそびえ立つ建物の表玄関の1階にあることが多かった。整然と並んでいるものもあれば(上)、龍津道（ロン・チュン通り）94番地のように、それぞれが勝手気ままに壁に付けられているものもある。全世帯分がそろっているわけでもなく、順番も滅茶苦茶なので、郵便が今は使われていない郵便箱に入ってしまうことがあり、それが配達員の手間になっていた。壁に貼られている小さな白い紙切れは、引越し業者の広告だ。小さな部屋で100ドル、小さな家族で200ドル、大家族で300ドルと書いてある。

九十四號
現金收購
九龍城
94樓座
龍津道
龍津道94號

中国の香港出先機関を取り囲んだ要塞

ジュリア・ウィルキンソン

ジュリア・ウィルキンソンはイギリス人フリーライターで、1979年から香港を拠点にしている。アジアを広く旅し、様々な著作を発表してきた。現在はイギリス南西部のウィルトシャー州と、香港から少し離れた長洲島を行き来している。1980年代に九龍城を頻繁に訪れ、いくつかの作品を書いた。

九龍城は香港の歴史において異端児であった。27,000平方メートルのこのスラムほど、物議を醸し複雑な扱いを受けた場所は他にない。中国、英国の双方が権利を主張しながら、両国とも適切な監督を行なわなかったためにブラックホールと化し、悪事で名だたる場所となったのだ。

九龍城の歴史は、犯罪ではなく塩から始まる。宋の時代（960-1297）、海沿いとなる九龍は新安《シンアン》県（後に宝安県、現在の深圳市）地域の優良な塩田のひとつであった。当時は官富場《グァンフーチャン》という名で知られ、九龍という名称が公式に採用されたのは1840年である。宋時代の初期には、塩の取引に携わる王朝の兵士のための小さな駐屯地ができた。短い期間であったが1277年には、その2年前に中国南部を侵略したモンゴル人から追われた宋朝の若き皇帝の一時的な宮廷にもなった。

この前哨基地は、地元の人から九龍城《ガウロンセン》と呼ばれ、その後北西部に九龍大街《ガウロンダイガイ》ができたが、ここは1890年代には賭博場の巣窟として悪名高くなった。長い間目立った存在ではなかったが、1668年に30人もの衛兵から成る守備隊とともに監視台ができてからは別だった。後に衛兵の数は10人に減ったが、1810年には海岸近くにさらに駐屯地が造られた。香港島から海を越えてわずか数百メートルほどの戦略上重要な場所だったので、徐々にその名は知られるようになる。

1841年に英国は香港島を占領し、中国の反応を伺った。中国は英国の侵略からどのように九龍地域を守ったのだろう？　1843年、中国はここに政府の出先機関を設置し、軍当局の責任者と150人に増強した守備隊を配置して、九龍城と周辺の492の集落を管轄することにした。

広東の総督は、兵士、兵舎、訓練施設を含めた駐屯地の強化をすぐに指示した。その中で最も壮大な計画は城壁造りで、1847年に完成した。目立った特徴もなかった駐屯地は、香港への侵略を封じ込めるための視覚的、心理的シンボルとなる九龍城砦へと生まれ変わった。

英国植民地省のJ. H. スチュワート・ロックハートは、1898年に新たに明け渡された新界（ニュー・テリトリー）の調査を行ない、堂々たる城壁の計測結果を次のように記した。「切石仕上げで、幅は最大4.5メートル、高さは平均4メートル」。城壁は20×100メートルほどのゆるやかな平行四辺形で、27,000平方メートルほどの敷地を取り囲んでいる。北の端から後方の岩場までの初期の拡張地は、すでに使用されなくなっていた。見張り塔が6つ（やがては一般家庭に占拠された）、出入り口が4カ所、119の銃眼（※城壁上部に切り込まれ外側に向かって広がる狭間）がついた石造りの防御壁の他、何十門もの大砲があった。「九龍城は『大砲の街』と呼ぶのがふさわしいく、あちらこちらに分解された古い大砲があった」、と1904年の「ホンコン・ウィークリー・プレス」は報じた。

城壁が完成してほどなく九龍城は発展し始めた。衙門（朝廷から派遣された代官所）や、東門近くの祭礼用の焼却炉の他、1847年には侵略者からの防御と官吏の控え場所にするために公立校の龍津義学《ロンチュンイーホク》なども建てられた。1880年には楽善堂《ロクシントン》という慈善団体が発足し、付近の住民は教育や医療を無償で受けられるようになった。

九龍城になかったもののひとつが、市場や店である。ここが根本的には官吏と兵士の駐留地だったからだ。1898年には守備隊の数は500になり、一般市民の人口は200人になった。そのほとんどは、軍司令官の管轄下にあったらしい。だが東門から海岸近くまでの数百メートルの間の地域――元々の九龍大街――はやがて賑やかな商業街になり、沙田《シャティン》や西貢《サイクン》からも人が集まった。規模が大きくなってきたので、1871年には香港からの密輸入（特にアヘン）を取り締まる税関ができた。15年後にはより本格的な「中国海岸税関」になった。

龍津石橋から見た九龍城(1875年頃)。新しい石橋と直接つながっているのが牌楼というアーチで、メインストリートへの入り口を飾った。

九龍城を抜けると龍津《ロンチュン》石橋というよく目立つ石造りの橋があった。21本の柱で支えられ、長さは200メートルほどである。1875年に中国の代官が船に乗りやすいように架設され、1890年には80メートルほど延長された。橋の先端には2階建ての龍津亭が建てられ、公的な接待や旅行者の休憩のために使用された。入り口を飾っていたのは、「牌《パイ》楼《ラウ》」というアーチであった。

皮肉なことに、九龍城の防御力を初めて試すことになったのは英国ではなく中国自身だった。1854年の太平天国の乱に乗じて中国人の反乱軍が九龍城を乗っ取って、家々を荒らしたり家畜を奪ったりした。朝廷の官吏や兵士たちは唯一安全な香港島に避難したが、1週間後には九龍城に足場を取り戻すことができた。300人の反乱軍内部で仲間割れが起きたのだ。反乱軍のほとんどが去り、それから2週間の間に彼らは大敗を喫したのである。

秘密結社は清朝の支配に対抗するために組織された集団であるが、これはまた別の脅威であった。1884年に九龍城の代官は秘密結社が叛乱を起こす危険性があると英国当局に警戒を促したが、恐れていた事態にはならなかった。

1898年より以前の九龍城と香港の中英両国の官僚同士の関係は、少なくとも法と秩序の面では驚くほど良好だった。1850年に発令された条例では、香港にいる中国からの亡命者が九龍城の代官に引き渡され、城内で無慈悲に処罰された。1890年には香港で海賊がふたり捕まったが、後に証拠不十分で解放された。だが、九龍城にいた彼らの一味はただちに逮捕され、有罪となり城砦前の海岸で打ち首になった。英国人の官吏はこの処刑の見学に招待されていた。

九龍城とその周辺地域は、その頃には香港在住の英国人によく知られるようになっていた。要塞は1850年以来、香港にいるヨーロッパの人々の観光地になっていた。クローネ尊氏は1858年の新安県地域についての記述の中で、この「高くもない城壁と貧弱な駐屯地から成る九龍城」については「言うべきこともない」と記していた(原文引用)。

1893年の「ホンコン・ガイド」に書かれていたことはもっと好意的だったが、褒めているわけではなかった。「奇妙でとにかく汚い小九龍城」を歩いた様子がこう記されている。「城壁は5分ほどで1周できる。駐屯地で求められる礼儀作法はここではほぼ必要なく、自由に来て、見て、歩いて構わない。大砲があるのは、まずいことをすれば飛ばされてしまうという意味だ。偉くはない代官が1、2人いるが、不満げだ。メインの商売は、海岸近くのいくつかの賭博場である」。

事実この賭博場は、1860年に九龍半島が英国に譲渡されて以来、九龍城の目玉だった。その結果城内の人口は急速に増えたが、物理的、道徳的な環境は悪化していった。

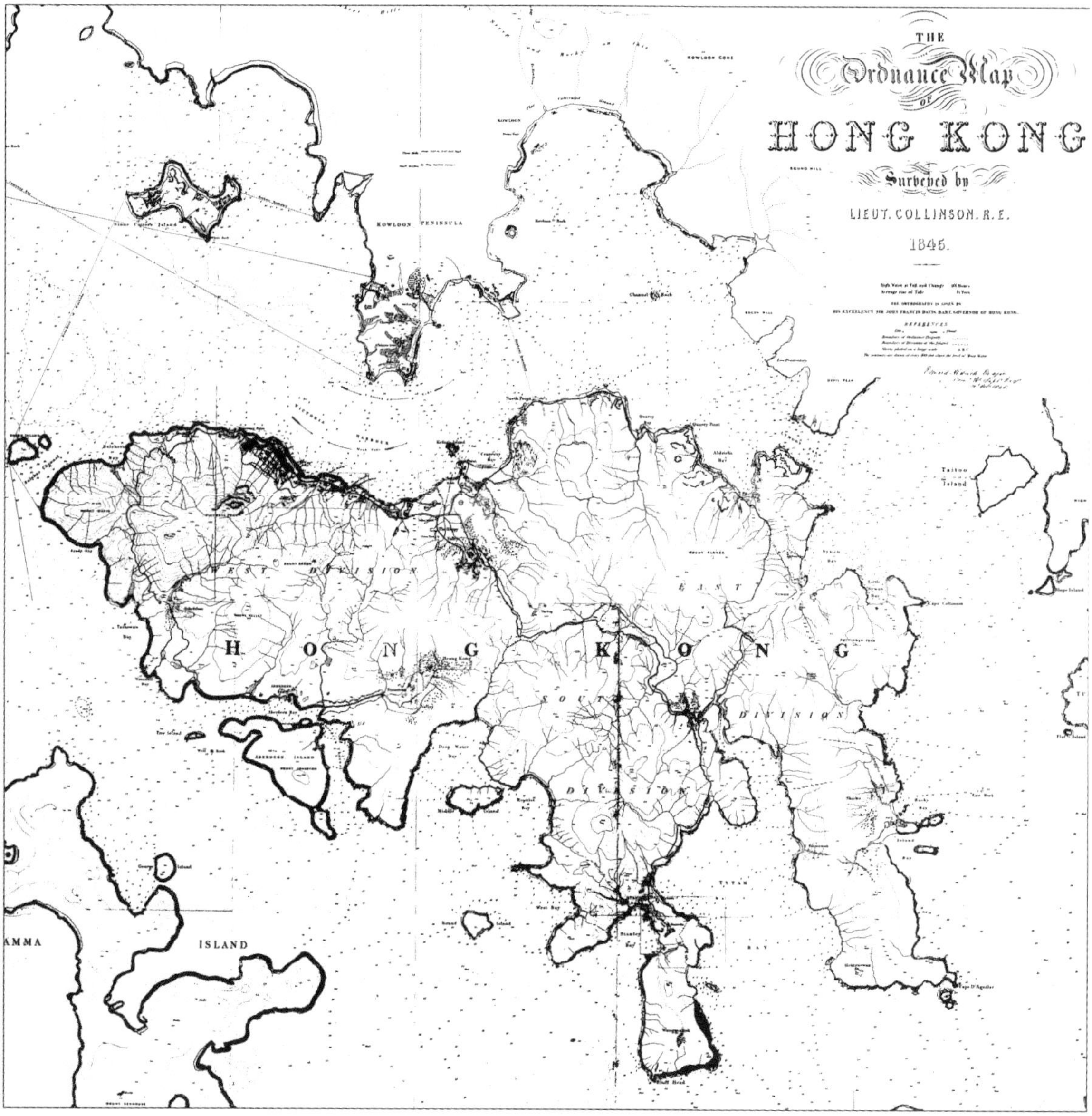

そのため、行政、軍事の中心地としての尊厳維持を目的として「特権階級層の」家や「広くゆったりした」並木通りが造られたと「ホンコン・ウィークリー・プレス」は1904年に報じている。その郊外は、1890年に「ホンコン・テレグラフ」が「中国式あばら屋の惨めな集まり」と評した狭く汚い通りから成るスラム街だった城内よりは、幾分良い状態だった。

この「化膿した傷口」こと九龍城は、売春宿、アヘン吸引所、賭博場などあらゆる悪事の温床となっていた。最悪なことには、香港のマスコミが報じたように「英国人をはじめとする多くの外国人がギャンブルをする溜まり場」となってしまっていた。香港はギャンブルが禁止されているため、九龍城の賭博場はたまらなく魅力的だったのだ。香港からの客のためには渡し船が出て、コーヒーと葉巻がサービスされていたが、香港の官僚やマスコミはこの状態に憤慨した。「悪や不正を奨励しており、香港市民が秩序と治安を保つのに困難をきたしている」。そして香港商工会議所は1898年にこう発表した。「この小さな町を英国の領域にしてしまえば、犯罪の摘発と抑制になるかもしれない」。

言うは易し、行なうは難しだった。1898年初頭、駐北京英国公使クロード・マクドナルドは、香港島ではない大陸側に防衛を目的として領土を租借したいと中国に交渉した。だが、問題は九龍城だった。「九龍城が一番厄介だ」、彼は外務省にこう報告していた。「常駐の官吏の引き上げが、ひどく反感を買っている」。

租借の合意に至らないことに業を煮やした英国外務省のアーサー・バルフォーは、急いで電報を返した。「面子の問題なのか? それとも金なのか? 金銭面での補償が必要というならば、時間があれば用意できる。もしくは中国の官吏はそのままにして、取り急ぎ英国の領域にしてしまうという手もある」。

マクドナルドは「“面子”の方が中国側にとっては大事だ」と確信していた。中国外務省側は、権力を譲渡としてしまうと混乱が起こると主張していた。また古くからの言い伝えとして、在位中に支配していた領土を失った皇帝は王家の墓に入ることができず、祖先の霊とも会えないとされていることも懸念していた。

そのため、中国は断固として九龍城の管轄権を主張した。英国は「香港の安全を妨害してはならない」という条件を強調したが、それでも郊外地域でなく九龍城にこだわった。

「中国外務省は九龍城だけは譲れないようだ」。そう判断したマクドナルドは新界を租借する案をまとめて、次のような結論を出した。「九龍城とその周辺地域を英国の領土にするのは、後回しにしよう。2、3年遅くなっても構わない。香港の安全を妨害しないという制約をつければ、不都合もないだろう」。

だが、この読みは甘過ぎだった! 1898年6月9日の香港境界拡張に関する北京条約の草案はあまりにも急いで創られたため、九龍城のことについては曖昧な言葉で挿入されただけであった。これが将来的には事態をより複雑化させることになる。「……現在駐在中である九龍城内の中国官吏は、英国が香港の安全を妨害しない限り管轄権を行使し続ける。この地を除いた残りの新しい租借地については、英国のみが管轄権を持つ。九龍城近くの港は、中国の軍艦、商船、客船のために空けておくこととする。船は自由に出入りして良い。城内の中国官吏や住人も使用して良い」。

この条項は香港のマスコミや財界ですぐに議論となった。香港商工会議所は、九龍城の支配権を中国が持つと悪名高い周辺地域の「道徳的危機」が長引き、「住人の心身だけでなく、中国南部における英国の威信にも悪影響を及ぼすだろう」とした。英国のある雑誌はよりはっきりと述べた。「中国の官吏が九龍城に留まる限り、我々は秩序を保てないし、衛生面の対策も講じられない。中国側は出て行くべきだ。早ければ早いほど状況は改善されるはずである」

条約は1898年7月1日発効予定であった。しかしいろいろな事情から、新界の公式的な引渡しは翌年の4月になってしまった。その頃には新界住民がかなりの抵抗を示して譲渡を拒んだので、香港総督のヘンリー・ブレークは、広東総督に「十分な援護」を要請した。老齢の広東総督は英国人を良く思っていなかったのだが、直ちに300の軍隊を九龍城に派遣した。

4月3日に、譲渡の儀式用の仮設会場を建設中の作業員を守るために派遣されていた英国の警備隊が住民に攻撃されてからは、さらに600の軍隊が広東から送られた。それでも組織化された反抗は続き、暴動が起こって死者も出たため、儀式はなくなり、予定より1日早い4月16日には英国旗が掲げられた。「デイリー・プレス」によると、香港に住む英国人は、「ちょっとした遠出ができ

1845年の香港の地図では、九龍半島の北東部に石造りの要塞の存在がはっきりと印されている。英国は1841年に香港島と九龍半島の先端にやって来て、中国は香港の出先機関となる駐屯地守るために城砦を造った。風水によると、城砦は良くない配置であった。北部は山場に守られているが、南側には「気」や精神を流してしまう水の流れがある。1865年の写真（右）では、駐屯地の背後にある山場を囲むように低い城壁がある。

1865年に撮影された貴重なこの写真では、城砦の大きさと立地が良くわかる。公共の建物と個人の住宅が混在している。中国の出先機関はこのような田園風景に存在していたのだ。駐屯地後方の低めの山場から撮られており、九龍半島の南から香港島の山々が臨める。水田を越えた所には見えにくいが柵があり、英国植民地と分けられていた。ここは今では界限街（バウンダリー通り）となっている。

る、愛国主義のお祭り」となるはずだった儀式がなくなったことにかなり憤慨していたらしい。

住民による抵抗運動に反対する世論が高まり、中国官吏の九龍城からの排除を求める声も強まった。また時を同じくして、英国植民地省も九龍城のこの状態をなんとかしようという決意を固めていた。だがそれを実行するには、正当な理由が必要である。結局そのきっかけを与えたの広東総督であった。国旗掲揚の儀式の前日に、さらに600の軍隊を半分は九龍城に、半分は近郊の深圳《シェンチェン》に派遣したのだ。これが引き金となって香港総督は「税関職員を除いた中国の軍隊と官吏全員を租借地から追い出す」ことを中国側に求めた。

中国外務省は軍隊を引き上げるよう広東総督に指示すると公約したが、4月29日になっても九龍城内には300人の兵士が留まっていた。植民地省は好戦的になり、軍隊を封じ込めて餓死させる計画を立てた。英国政府は躊躇したが、5月14日には200人の兵士は抵抗したが、九龍城の奪取が合意された。2日後には、英軍は攻撃を仕掛けることになった。内密に行なう予定だったにも関わらず海岸に居合わせた大勢の群集が見守る中、100人の香港義勇軍と200人から成る英ロイヤル・ウェールズ・フュージリア連隊が龍津石橋に上陸し、周辺地域や狭くて暗い「悪臭の漂う」路地にマキシム式速射機関銃を向けた。だが、九龍城の南門を行進し銃を構えてみると、広東総督の軍隊はいなくなっていた。

残っていたのは、声高く抗議をしていた代官と150人ほどの住人だった。英軍は武器の隠し場所を取り押さえて英国旗を掲揚し、香港に戻る前に21発の祝砲を鳴らした。この結果に満足した「ホンコン・ウィークリー・プレス」によると、「この遠征を英軍兵士たちは皆楽しんでいた」。九龍城の住人は数日後にガラクタを置いて立ち去ったが、広東守備隊の兵士は広東総督の指示がないまま撤退するのを拒んだ。言うまでもなく、広東総督や中国外務省からは占領に対する抗議の声も上がっていた。だがその声が高まれば高まるほど、英国当局は断固として譲らなかった。ロード・ソールズベリー英首相は駐英中国大使に一筆したためた。「英国政府は九龍城内での中国の権限を取り戻すことは認めない」。

この事態を法的に収拾させるため、1899年12月27日に英国枢密院令が出された。「九龍城内で中国代官が管轄権を行使することは、英国の香港の安全を妨害している」として、九龍城は「英国植民地である香港の一部となり、……元来からそうであったと扱う」。

英国は九龍城をしっかり管理することが求められていたが、1900年に新界初の地方裁判所を九龍城内の龍津義学に建てた以外は、ほとんどなにもしなかった。また中国人も、あれほど抵抗していたにも関わらず、

自治を取り戻そうとはしなかった。

「ホンコン・ウィークリー・プレス」の記事によると、1904年にもなると九龍城は「荒れ地そのもの」になった。中国側の不満が爆発しないように、香港政府は公共の目的のためならば九龍城の一時的な賃貸を許可することになった。その結果、教会が運営する慈善団体がたくさん設立された。プロテスタント教会は学校や慈善事業を運営し、英国教会系のホーリートリニティー教会は三聖廟《サンシンミウ》を教会に変え、週に2回の礼拝を行なった。老人センター、学校、私設救貧院など教会が運営するものには、政府の建物が改修されて使われた。裁判所として使われなくなった龍津義学も、1905年に無償の中学校と診療所になった。

旅行者や香港人にとっては、九龍城は古風な趣が珍しい「少し前の中国」に戻り、訪れたり写真を撮ったりしていた。特に人気が高かったのは南門近くにある2門の大砲で、イギリスの占領後に、壊されたりスクラップにされて売られたりを免れたのはこれだけだった。ある住人は観光業に目をつけて、九龍城の歴史的な石碑文を複製したものを売っていた。

一方で城外は急速に変化していた。九龍湾が再開発されたことで、九龍城は新しい道路や公共住宅、工場、そして啓徳《カイタク》空港などに囲まれてより内陸へと押しやられ、衰退し始めた。1920年には南側の城壁は崩れ去り、龍津石橋も取り壊された。衙門や60ほどの建物のほとんども実際には使われなくなっていた。やがて、周辺の山場で豚や家禽を飼っていた潮州《チウチャウ》出身の不法居住者たちが、九龍城に入り込むことになる。

香港当局は、不気味で不衛生なこの地を一掃する時期にきたのではないかと感じていた。1933年、政府は家々を取り壊して436人もの不法居住者には補償をし、この一帯を「昔ながらの雰囲気の残るリゾート地」にする計画を発表した。住民が反対して中国側に訴えると、各世帯に新しい家を与えるという条件も出した。この補償を決定したのは「住民に移動を思いとどまらせるために広東からやってきた中国の外務大臣に反抗して」、彼らを自発的に動かすためだったと新界南約理民府の担当者G. ケネディ・スキプトンは1970年に回顧している。

反対運動を起こしながら中国は抵抗し続けていたが、撤退の準備は進んでいた。1940年には龍津義学、衙門（主に老人センターとして使われていた）、1軒の民家以外は取り壊された。この一掃プロジェクトは、1899年に中国が九龍城の管轄権を強固に求め続けて以降の香港政庁にとって初めての仕事であり、そして比較的平和に遂行できた最後の仕事でもあった。だが「昔ながらの雰囲気の残るリゾート地」は実現せず、G. ケネディ・スキプトンは落胆した。第2次世界大戦中に日本が香港を占領している間に、九龍城の文字通りの「最後の砦」であった城壁までがなくなってしまった。その石は、驚くことに啓徳空港の拡張に使われた。

九龍城の見た目の荘厳さはなくなってしまったが、中国は大戦後も再び権利を要求し、城内に民事裁判所を設けると宣言していた。中国の保護を期待した避難民が続々流れ込んで来て、1947年にはさびれたこの町に2,000人もの不法滞在者が住んでいた。政府は収拾がつかなくなる前に事を起こすことを決めた。

1948年のイギリス政府の文書で、その計画の詳細が記されていた。「中国が九龍城の支配権を持ちたいという要求は棄却し、その場所は中国ー英国の信託統治である記念庭園にする」。だが、中国側の意見は違った。彼らは一連の反対案を政府文書に提示した。「九龍城全体を、中国政府の香港駐在員が使用する官邸にするべきだ」。また、管轄権の請求も諦めてはいなかった。

交渉は膠着状態が続いていた。そこで香港政庁は代替案を出した。不法居住者の立ち退きである。しかしこれは、1934年のときほどうまくいかなかった。不法居住者は強制的に追い出されたが、住居が壊された1週間後に暴動が勃発し、警官が戻ろうとする住民を止めようとして怪我人まで出た。抗議運動は上海や広東にまで広がり、英国領事館が攻撃された。英中関係がこれ以上悪化しないように、政府は早急に立ち退きプロジェクトを中止した。これが大きなターニングポイントとなった。その日からいくつかの例外はあるものの、政府は九龍城に対して基本的に「干渉しない」という態度をとることになった。

放任された「飛び地」を、アレクサンダー・グランサムは次のように描写した。「不潔で、ヘロイン、売春宿などの悪事の巣窟」。それは昔のままの九龍城だった。1890年代

1924年には、九龍城は人口数百人のちょっとした町になっていた。左前方の建物は、当時は老人センターだったが、かつては衙門や軍人の営舎として使用されていた（下）。

1906年の写真（左ページ上段、上）では、九龍城に残った建物はかなり良い状態であるが、1920年代にもなると忘れ去られたようである（左ページ下段、次ページ）。

には周辺地域にも悪い影響が及んでいたが、今度は九龍城内だけでじわじわと広がりを見せていた。

警察はひどい犯罪の場合は暫定的に強制捜査を行なったが、九龍城への法的介入が高等裁判所で認められたのは1959年のことだった。殺人に関わるある裁判では、容疑者が九龍城内での犯行を主張したので、英国は管轄外となってしまった。

しかし裁判長は、中国の管轄権は「以前城内に駐在していた官吏に付随していたというだけで、“now”という言葉を（1898年の新界租借条約で）使用した以上、それ以降は通用しない」と公言した。つまり、中国が管轄権を持ったのは一時的なことで、1899年12月の枢密院令でそれは無効になったということだ。裁判長は結論をまとめた。「九龍城が英国の令状が効果を持たない無法地帯であるという主張は棄却されるべきだ」。

議論の余地はあったが、裁判所もこの結論を認め、九龍城で逮捕された容疑者は正式に起訴された。警察は、麻薬の取引場所の強制捜査に慎重に着手した。戦後やって来た宣教師ドニソーン女史が1970年に語ったところによると、「警察は40人くらいまとまって来ていた。狭い路地のあちこちに麻薬常習者の溜まり場があって、皆、堂々と吸っていた。当時は中毒者の死体が通りに置き去りにされていて、歩くのが大変なこともあった。死体はトイレに運ばれて、午前中に政府が回収していた」。

1950年代、60年代は悲惨な時代だったが、ドニソーン女史、モーリーン・クラーク、ジャッキー・プリンガーといった宣教師たちが住人の力になっていた。新たな立ち退き騒動が起こった1963年になって城砦福利会が結成されたが、その目的はより政治的で、住民の当然の権利を主張していた。実質的に力を持っていたのは、14K（サップセイケイ）、敬義（キン・イー）、新義安（サンイーオン）、義群（イー・クワン）という4大秘密結社で、売春宿、賭博場、麻薬取引所を仕切っていた。

1963年の立ち退きでは、政府は九龍城一角のあばら屋は撤去したものの、その結果東頭村道（トン・タウ・ツェン通り）に新たに不法居住者の溜まり場ができてしまった。ケネディ・スキプトンはこう振り返る。「政府は1934年、35年の経験をまったく活かしていない。補償のないまま住民を強制的に移動させ、反感を買って失敗した」。

1920年後半になると、九龍城は荒廃し衰退した。それから10年の間に九龍湾の埋め立てが行なわれ、九龍城は奥地へと追いやられた。

これをきっかけに「立ち退きに反対する会」が結成され、城砦福利会の前身となった。「英国当局の野蛮行為」を許しがたいとした中国側も公式に支援し、「九龍城は中国の領土であり、中国が管轄している。今までもそうであり、これからもそうである」と宣言した。

これに際して中国が1898年の条約のことに触れていないのは重要である。中国政府はそれが「不平等条約」だと認識しており、この条約に基づいて九龍城の管轄権を要求すると、新界のほかの地域は英国の管轄だと認めてしまうと考えていたのだ。国家としての面子とプライドから、中国は九龍城

1930年頃の九龍城は、香港人が行楽や週末の小旅行で訪れる場所になっていた。

住人を支援した。だが、1969年に香港のガイドブックを記したP.ジョーンズによると、「中国は住民のために戦ったというわけではない」。中国が「自国の領土全体の侵略」に対して態度を硬化させると、香港政庁は再び撤退した。香港政庁は中国の支配権を棄却した代わりに、「しばらくの間の九龍城での活動」を認めることになる。

ネズミだらけの九龍城には相変わらず麻薬もはびこっていたが、やがて再び政治的な混乱を迎える。城砦福利会が1963年の結成から3周年を記念して事務所ビルに中国国旗を掲揚したのが原因で、暴動が起きたのだ。騒ぎを見ていた同ビル最上階の住人が警察を呼んで事態は収まったが、この一件は中国との関係のとり方の難しさを露呈した。幹部リウ・カンは当時の「スター」紙に、城砦福利会側の主張をこう語った。「中国国旗を掲揚すると、北京は我々を守る義務があると認識してくれる。ここは中国であって、香港ではない。香港がやがて、中国本土の一部になるのだ」。

文化大革命の起こった1967年とその翌年——警察が前例のない強制捜査を行なって、5カ月で905件、逮捕者732人を出した——には九龍城ではほとんどトラブルは起きなかったが、悪業が完全に収まったわけではなかった。警察の立ち入りが終わると、麻薬取引は即座に再開された。路地には大勢の「見張り」がいて、警察の動向を知らせていた。1968年6月、「ホンコン・スタンダード」紙は辛らつな批判を寄せた。「九龍城は香港における悪事の中心地であることは変わらない……文化大革命前との違いは、麻薬取引人が姿を見せなくなったことだけである」。

1970年に2門の大砲が九龍城で発見されると、住民はこれが中国本土のものであると主張したが、政府も城砦福利会も冷静に対処した。「スター」によると、「政府はこの扱いにくい問題を回避するために、大砲には関与しないことに決めた」。城砦福利会はよりストレートだった。トップは「それほど重要な問題ではない。我々が撤去したら、左派が暴動を起こすチャンスにしてしまうだろう」と言った。結局大砲は「気味悪く、暗く、汚い」九龍城にとどまることになり、訪れる観光客に百年前の雰囲気を味わわせていた。

左派の集団には、かつて中国の衙門であった老人センターがキリスト教の学校に建

1920年頃の南門。「九龍寨城」としるされている。

て直される際にそれを乗っ取るという反乱のチャンスがあったが、警察がこの工事を監督していたために、達成できなかった。香港当局は中国側がいつも通り反乱を起こすだろうと予測していたが、なにも起こらなかった。ついに様子が変わってきたのだ。

1971年の調査では、九龍城には2,185世帯、10,004人が住んでいるとのことだった。非公式の調査ではこの数字はぐっと高くなる。1980年代後半には、35,000人以上が住んでいた。潮州人の養豚業者や戦後移民の子孫がほとんどで、職業は貿易業者、日雇労働者、商店主、工場（特にプラスチック産業）労働者などだった。無免許の医者や歯医者も多かった。

医療の専門機関は、九龍城の現状に介入しなかった。教育機関も不動産の評価機関も、九龍城は対象外だとみなしていた。1959年のあるケースでは、九龍城は他の領域と同じく香港の規制に従うとされたが、原則はあくまで不干渉だった。英国が管轄権を行使することはわずかながらあったが、中国側はまったくなかった。

香港政庁の市政総署は４カ所の井戸の塩素消毒を１日に数回行なう他、ゴミや汚物の収集、伝染病の調査をしていた。道端でゴミを捨てている住民を起訴したりはしなかった。指示して教え込むという慎重な方法が採られていた。衛生保健に関わる警告が出されても、ここでは強制されなかった。

郵政署は郵便を配達した。社会福祉局は公共サービスを提供し、労働局は城内の工場を把握し、安全と労働基準を確保した。税務署は城外で仕事をしている住人から税金を徴収した。一番厳しい管理をしていたのは、飛行機の航路を邪魔する建物をチェックしていた公共事業局と、危険物をチェックしていた消防署だった。どの機関もできることは限られていたが、このすし詰めの危ういスラムの危険を減らすために努力していた。

警察はというと、1970年に「違法な行為については、香港の他の地域と同様、九龍城でも取り締まる」と宣言した。数年後に北京とロンドンの関係が良好になって、香港や英国政府の関係者――非常にショックを受けた総督も含む――が九龍城を訪れることが増えると、この「悪事だらけの不潔な場所」への手入れが本格的に始まった。1973年から74年にかけては異例の3,685件の捜査が行なわれ、2,580人が逮捕、約180キログラムのヘロインと約1.5トンのアヘンが押収された。これは、香港の九龍城に対する扱いが大きく変わったことを象徴している。ある警官は語った。「この数年は綱渡りだったが、もはや悪事や犯罪を放ってはおけない。これからも九龍城を捜査する」。

住民の反応は概ね良好だった。若い世代が動き始め、古い世代の政治に絡んだしがらみを払拭させた。今大切なのは、生活環境を良くすること、安全な水と家を確保すること、犯罪のない安心して歩ける道を造ることだった。

これは変化の兆しであるというのが公式の見解だった。1974年6月の新聞の社説にはこう書かれている。「環境が良くなるかは住民次第だろう。彼らが政府に協力すれば、改革はスムーズに進む。より迅速な政策が打ち出されなければ、しばらくはこのままだろう」。

歩みは遅かったが着実だった。1980年には九龍城と隣接する西頭村《サイタウツェン》で、7名の男性による24時間の自警団が結成された。秘密結社の活動は続いていたが（1980年には井戸水の値上げに反対する者に「首を切る」と脅していた）、九龍城の警察署長は1983年には城内の犯罪件数が「他の地域より悪いということはない」と発表した。強奪事件などはあったが、大規模な麻薬取引や犯罪組織は減った。こうして九龍城から悪は去った。1983年には、50の街灯が導入された。“City of Darkness”に光がやってきたのだ。

1947年のこの地図では、啓徳空港の西側にある九龍城の平行四辺形をした外周の一部が切り取られている（地図右上）。第2次世界大戦で一部の城壁が破壊された九龍城は、もはやわずかな建物が残っているだけのガラクタの山と化していた。

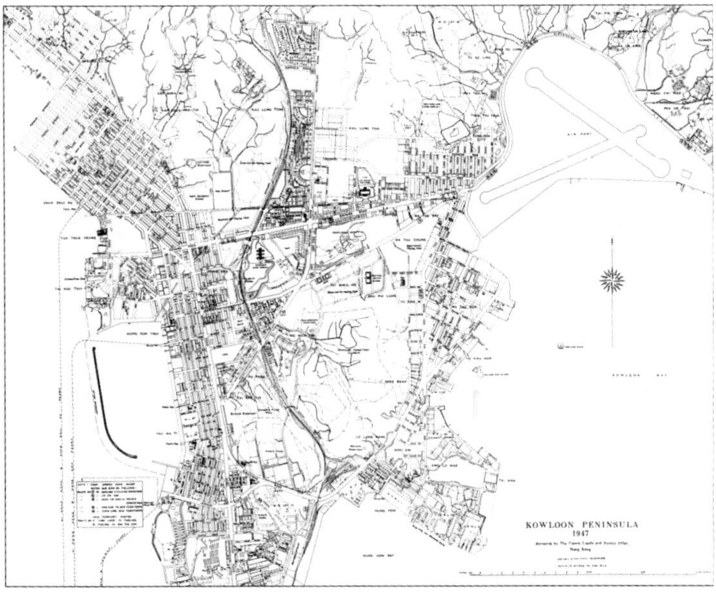

1973年撮影の空中写真。昔ながらの石製や木製の家々から、高いビル群に建て替えられたばかりの頃である。南側と西側には、トタン屋根の廃屋に不法居住者が集中していた西頭村（サイ・タウ・ツェン）がある。ここは、1985年に一掃された。

同年8月には新華社通信の香港支社長である許家屯《シュー・ジャートゥン》が九龍城を初めて訪れ、城砦福利会を——現実には汚さをなんとかすることで精一杯だったのだが——「自己管理の範囲でよくやっている」と賞賛した。城砦福利会幹部のチェン・ヤット・ファンは、この訪問を喜んだ。彼は許が中国の管轄権を要求してくれ、香港政庁から住民を守ってくれると考えたのだろうか？ 許に（左派の）赤い旗を揚げさせて、中国の領域から香港政府に手を引くように言って欲しかったのだろうか？ そうではない。彼が許に望んだのは、安全な水の供給だった。彼は如才なく言った。「香港政庁は生活環境を随分良くしてくれたが、まだまだ改善の余地はある」。

それからほどなくして、香港総督のフィリップ・ハッドンーケイブも九龍城を訪問したが、形式的に一通り廻っただけであった。だが、なにか起こりそうな気配が漂っていた。

遅まきながら着々と準備を進めつつ政府はチャンスをうかがっていたが、香港の将来を決める中英共同宣言が調印された1984年が好機になった。住民の方も準備は整っていた。城砦福利会の創設メンバーであるラウ・ヒオ・チェンもこう語った。「時代は変わった。『中国の領土と我々の生活を守ろう』なんてことは言ってられない。今一番大切なのは、人々が経済的に豊かになることだ」。

その日は突然やって来た。1987年1月14日午前9時、政府は九龍城の取り壊しを発表した。住人には相応の補償をし、跡地は公園にするという。この15分後に北京の中国外務省からも告知が出された。「九龍城の生活環境を実質的に向上させる。城内住人のためだけでなく、すべての香港市民のために」。

1898年の条約や管轄権については触れられなかった。九龍城の複雑な過去についてだけ最後に言及されていた。「香港の他の地域と同じく、九龍城は歴史から見放された問題だった」。今でも、誰も答えを出せてはいない。解決策は永遠に見つからなかったのだ。

ラム・シュウ・チェン

古くからの住人

ラム・シュウ・チェンは九龍城に約50年暮らした。城砦福利会の幹部で、工商連絡委員会のトップを長年務めた。

中国本土から一家でここに来たときには、私はまだ小さかった。子どもの頃の九龍城はとても楽しい場所だった。閑散としてるんだが、それが不思議と魅力的で。その頃は「自警団」があって、夜になると鐘を鳴らしながら、衙門の周りなんかを歩いてた。鶏泥棒とかの対策だったらしい。彼らに石をぶつけたりしたもんだよ。母は刺繍の仕事をしていた。私は学校には行かなかった。思い出すのはそれくらいかな。

九龍城は中国の宝安《バオアン》県（現在の深圳市）地域の管轄下にあって、「自治委員会」が住民のいろんな面倒を看ていた。当時、人はそんなに住んでいなかった。日本人がやって来て空港建設のために壁を壊してからは、さびれていった。わずかな農家を残してね。

その頃は多くの人が死んでいってね。日本人に殺された人の遺体は、城壁の辺りに放置されていた。ウン・ワーっていう歯医者が仕切って死体を撤去したんだけど、トラック1台分はあったね。金を払って人を雇ってやったよ。葬式なんかはできないから、代わりに教会の牧師に来てもらった。私の母がキリスト教に改宗していたから、それが良いと言われたんだ。

昔はここから少し下った辺りまでの土地を持っていたんだ。買ったときは25ドル。最初は木で小屋を建てたんだが、政府に燃やされてからはレンガにした。1951年だったと思うが、大きな火事があって3,000軒以上の家が焼失したんだ。火元は米や炭を扱う店だった。中国政府が米や金と一緒に10人くらいの支援団を送ってきてくれて、それはありがたかったんだが、彼らが警察と衝突してね。彌敦道（ネイザン通り）ではバスが燃やされたりもしたよ。

火事の後、焼失した一帯は英国の領域になると宣言されたんだが、みんな無視して元の場所に新しい家を建て始めた。今度は木じゃなくて石やレンガで、平屋じゃなくて2、3階建て。不思議なことに、火事や取り壊しが繰り返されるうちに、大きな建物がどんどんできて町は繁栄していったんだ。

新しい建物が増えると、政府が調査に入って高さを制限し始めた。それからは政府がチェックするかしないかで、建物の高さが変わった。チェックされているときは低めに、そうでないときは高く建てられた。当時は水が貴重だったので、尿でコンクリートを混ぜることもあった。海水はさすがに無理だったけどね。

杭打ちもしないのにどうしてビルが建ったと思う？　モーゼが紅海を渡ったくらいの奇跡だと言って欲しいね。中国で昔から使われてきた方法なんだ。土を深く掘り起こして、まず3階建てを建てる。同じように造っていくと、建物同士がお互いに寄りかかるようになるんだ。経験が大事だってことさ。我々はそうやって生き抜いてきたんだ。

1940年代から、私は灯油のランプを貸し出す商売を始めた。それから発電機を使って電気の供給も始めた。灯りの数に応じて金をもらっていた。みんな灯りがあるだけで喜んでね。よく儲かったから車を買ったんだ。九龍城住人では初めてさ。1953年のことで、ナンバーは3618だったな。

1950年代になると九龍城はストリップショー、セックス、麻薬、ギャンブル、それに犬肉で有名になった。龍津道（ロン・チュン通り）には、犬肉を売る店が並んでいた（※香港では英国の法律で犬肉の食用は禁止されていた）。学校の敷地内にも、ストリップショーの店や「龍門」というポルノ映画専門の映画館までできてしまった。

城砦福利会は1960年代に発足した。城内で火事が起きたときに、政府が被災者を別の場所に移そうとしたんだが、彼らは残りたがった。それで政府の支援を受けて、九龍城に城砦福利会ができたのさ。火事や泥棒を取り締まる他、時報管理や住民の監督をすることになった。左派の支配は受けなかったけど、改革派と呼ばれるグループが運営していて、左派の考え方が表れていたね。創始者のチェン・ヤン・ファットは元龍津《ロンチェン》小学校の校長で、そういう考えだったんだ。城砦福利会には中国旗が掲げられていたけど、それもその表れだったんだろうな。1950年代は、人々があちこちから集まってきて色々な思想が入り乱れた時代だったが、左派はそれらに干渉しないで独自の道を歩んでいた。

西側の入り口は、夕方になると夕日で黄金色に染まる。この辺りは九龍城の中でも裕福な地域である。通りは整然としていて、工場労働者も少なかった。ここが栄えたのは、東側にある光明街（クォン・ミン通り）の井戸が封鎖されたからだという言い伝えがある。大井街（タイ・チャン通り）の井戸とこの井戸は、九龍城の守り神である龍の目だとされていた。片方の目が見えなくなってしまったので、幸運が大井街の方にやってきたというわけだ。

昔はセックスと麻薬とギャンブルしかなかったんだが、やがて九龍城は工業地帯になった。1967年の暴動に乗じて、香港政庁は悪事に関わっていた人間や場所を追放した。それからは高層ビルが建ち始めた。中国からの移住者も多くやってきた。九龍城の方が生活しやすいと思ったんだろうね。ここで彼らのパワーとエネルギーが爆発して、産業が発展したのさ。

我々九龍城の人間は、香港の成長に大いに貢献した。私は小さい頃からここに住み、自分の手でこの場所を作り上げた。補償はまったくもって公平じゃない。政府がモタモタしている間に、香港ドルの価値はどんどん下がっている。ここの事業主の代表として我々は北京に行ったが、政府は英国側の問題だと言って取り合ってくれない。住民は工商連絡委員会はなにもしてくれないとこぼしているが、我々ではどうしようもないんだよ。

南側高層部のアップ。啓徳空港に近いため45メートルという高さ制限はあったが、政府はその他の規制を設けるのは実質的に不可能だとしていた。九龍城内の建設に関しては、計画や設計図を提出する義務がない。実際に、ほとんどの建物がラフなスケッチから建てられており、これはコストの節約にもなった。建設は目と手で確認しながら行なわれるので、同じ建物にあっても階が違えば床面積はまったく異なった。これは立ち退きにあたっての補償問題の際に、大いに問題になった。見た目にはすべてがつながっているように見えるが、所々に狭い隙間がある。各建物は垂直に独立していて、隣人同士のつながりという水平のラインについては無視されていた。

牙醫陳國祥

長樂樓

西側高層部のアップ。新しい建物はシンプルな造りで、水道や排水口などの設備もほとんどついていなかった。請負業者は最大限のスペースを確保するため、隣接する建物や通りのギリギリにまで——近隣住人の批判を受けない程度に——建物を拡張した。作業はいい加減になることもあった。土台は一時しのぎに近い剥き出しの状態で、浅い溝にコンクリートを流し込んでいるだけだった。それが当たり前だった。彼らなりの知恵は活かされていたものの、明らかに危険だった。「ドミノみたい」。ある技術者はこう振り返る。「ひとつが倒れると、つながっている他のものもすべて倒れてしまうだろう」。

チャン・プイ・イン　漢方医師

チャン・プイ・インは潮州《チウチャウ》から1947年にやって来た。8年後、29歳で龍津道（ロン・チュン通り）に漢方の店を構えた。

昔は香港島にある窯元で働いていたんだが、借金をしてこの店を始めることにした。準備には数千ドルかかったね。資金が少なかったから、場所を選んでいる余地はなかった。ここが精一杯。1955年に店を開いて、軌道に乗ったら買い取った。もともとはこのビルは2階建てだったんだが、11階建てに建て替えられた。そのときに当時の1部屋の変わりに、この2部屋をもらったんだ。

他の漢方薬局と同じで、チャン・プイ・インの店もふたつに分かれており、片側では漢方薬を（上）、反対側では西洋式の日用品を扱っていた。

その頃の九龍城は活気があったよ。いろんな職業の人間がこの辺をうろついていて、映画館のロビーみたいだった。でも、みんなお金があったわけじゃない。ここは漢方薬局だが、診察もやっている。患者はあちこちから来るよ。香港島からも。できる限りは診ている。父が漢方医師で、私は父から教わったんだ。

九龍城は悪名が高かったが、私が住み始めた頃には城外よりも犯罪は少なかったと思う。警察はいなかったが、有志のグループが警備をしてくれていた。強盗なんかもなかったよ。小さな犯罪はあったのかもしれないが、みんなが顔見知りだったから互いを傷つけ合うことはなかったね。例えば、城外の人なら5歳の子どもに500ドル札を持たせて近くの店で両替して来いとは言えないだろう。でもここでは、子どもから金を奪おうとするヤツは絶対にいない。もしそんなことがあっても、犯人は逃げることはできない。ここには中国の村のような家族的一体感があるんだ。

ここでは営業許可がなくても商売ができる。帳簿をつける必要もない。従業員を雇っても報告する必要はない。面倒も費用もかからないよ。衛生状態には問題があるが、暮らしは私にとっては快適だった。上の階に住んでいるから、海や夜景も見える。空気もきれいだ。

井戸水を使っているが、水は綺麗で匂いもしないよ。通りの向こうの友人はここの水が好きで、毎日バケツ1杯汲んでいたくらいだ。城内には大きな井戸がふたつあったんだが、今も使えるのはひとつだけ。もうひとつは、ビルが建てられるときに埋められてしまったんだ。

ふたつの大井戸は、九龍（九匹の龍）のうちの1匹の目と例えられていた。ここは風水上、とても良いとされていたし、低めの山場を背にして、南側は海に面している。先祖の時代には、住む所を選ぶ際には風水が重要だったんだ。迷信深いように思えるけど、九龍城では成功する人が多いんだよ。ここの出身で金持ちになった人はいっぱいいる。

もちろん悪事もたくさんあったようだが、影響はされなかった。3人の息子と一人娘は九龍城生まれの九龍城育ちだが、麻薬に手をつけたことはない。中毒になったらどうなるかがわかっているからだろうね。

生活が豊かでない人も多かったが、地域でのトラブルはまったくなかった。みんな互いをよく知っていて、信用し合ってた。例えば、不動産取引に必要なのは紙切れ一片だけで、売主と買主は住所と名前を書けばよかった。政府に出向く必要はなかったけど、城砦福利会ができてからはそこで承認を得ることになった。それが彼らの資金源だったからね。それでも、不動産取引を巡るトラブルはほとんどなかった。

1950年代は、九龍城にはまだ養豚業者や農家があった。戦後数年の間は、この辺の土地は一区画をわずか数十ドルで買えた。区画はロープや竹で仕切られていて、オーナーの紹介料として40から60ドル必要だったらしい。

薬局をやるのは結構しんどいよ。いちおう朝の8時から夜の11時までなんだが、誰かしらが朝早くから戸をたたいて薬をくれと

いう。24時間営業みたいなもんさ。

漢方は900種類以上あって、それぞれ名前はひとつじゃない。正式名称はひとつで、あとは俗称だけどね。これらを分類するのに、引き出しを活用したんだ。引き出しごとに番号をつけて、漢方を4種類ずつ入れる。どこになにがあって、どんな効用があって、いくらなのかをわかっておかないといけないからね。私は漢方を父から習ったんだが、覚えやすい「韻」があるんだよ。それを覚えるのには1年かかって、自分の患者を持つに3年かかると言われてるね。

解禁されていない薬物は売っていないよ。もちろんそういうものも扱ってるが、最低限の量だけ、別の場所に保管してある。

私は本当にここから離れたくないんだ。政府が言う補償額は、1階に住む人も同じ。ここは他の最上階の場所と比べても20倍は高く売れるのに。出て行っても商売は続けたいが、新しく店を出すには2,000,000ドルはかかる。西洋医学の医者たちは340,000ドルも補償されるのに、東洋医学だとダメだそうだ。政府が言うには、西洋医学だと外で開業できないが、我々だとできるだろうって。それで差がついてるらしいけど、出て行ってどこでやれると言うんだ？

國
電机配
DECORATION CO

繁盛している金物店（左）。低層の簡素な造りの建物群に混じって、東正道（トン・ツェン通り）沿いに何年も前からある。政府は、形式上はここを九龍城の東端だと扱っていた。九龍城北側にある南園（ナム・ユン、上）は東頭村道（トン・タウ・ツェン通り）に面しており、住人に長年親しまれてきたカフェや食堂がたくさんある。特にタクシー運転手たちは常連だった。車を駐められる場所があったからだ。犬肉を食べさせるレストランがあった頃には、ここで禁断の肉を食べるためにやってきた裕福な人々の高級車が並んでいた。

ウン・カム・ムイ　カフェオーナー

ウン・カム・ムイは、約30年間東頭村道（トン・タウ・ツェン通り）にある松発冰室（チョン・ファッ・カフェ）をやりながら暮らしてきたが、1991年の立ち退きで店を閉めた。写真撮影は拒否した。

父と母がここにやって来たのは1960年代。それまでは香港島に住んでいたけど、一旗揚げてやろうと意を決してカフェを開いたそうよ。母は潮州《チウチャウ》出身だったけど、知り合いはいなかったみたい。

その頃の九龍城はなんにもない所だったけど、そのうち人が流れ込んできて、家が建ち並んできた。ギャングもいなくて、平屋の木造の掘っ立て小屋が建っていただけだったのよ。

だけどだんだんお金を持った人――ギャングもね――が増えてきて、物騒になったの。母は抗争をたくさん見ていた。若かったし恐かったから、ギャングに「用心棒代」を払っていたそうよ。たった数ドルだったらしいけど。

私が小さかった頃には、通りの端っこにある水道に水を汲みに行っていたわね。そこにはお風呂もあって、裸で入ってたわ！今の子どもたちほどシャイじゃなかったからね。だけど、外ではあまり遊ばないように言われてた。ケンカや乱闘が起こっていると、母に家に入れさせられた。私たちが学校とかから帰ってくる時間はいつも気をつけていたみたい。

父は教育を受けた人で――当時も事務的な仕事をしていたんだけど――、私たちも学校へ行って勉強しろと言っていた。その頃は全員が学校に通っていたわけではなかったの。義務教育はなかったし。チャン・ヒップ・ティンが開いた学校があったわね。左派で、ニュー・チャイナ・スクールって呼ばれていた。教会がやっている幼稚園もあった。園長先生は女性でね。学校関係者は九龍城の子どもたちにこう言っていたわ。「言葉を覚えて、一緒に勉強しないかい?」。

私は教会がやっている学校に行かされた。今の美東《メイトン》団地の場所なんだけど、当時は石造りの家がある村が4つあるだけだった。小学校を卒業してからはここで働いているわ。

父は早く亡くなったので、母は苦労したみたい。生きることで精一杯。母は本当に素晴らしい人よ。私や弟が人から見下されないようにしてくれた。父の死後、店を奪おうとした人がいたんだけど、母は断固として守ったの。この店がすべてだったから。それからは色々なものを扱うようになった。お茶にコーヒーにお粥にご飯。豆乳や雑穀もあったわ。

それから九龍城全体がどんどん開発されて、3階建てや4階建てのコンクリートのビルがたくさん建ち始めた。70年代になると、ここを取り壊して高いビルに建て直したいと交渉されて。業者は、建て替え後は今の1部屋に対して2部屋くれると言ったの。それでこの11階建てのビルができたときに、2階分もらったわけ。工事中は他の場所に移動させられたわ。

私たちのように店をやっている者には、営業できなかった分も補償してくれたのよ。9カ月休んで、もらったのは7,000ドル。毎月の売上は1,000ドルくらいだったから、ちょうどいい金額だった。

建て替え後は、店も大きく変わった。天井がとても高くなって、空調設備は相変わらずなかったけど、外側を開いた造りにしたの。中華電力（香港の電力会社）から電気も引けるようになった。50年代、60年代は電気がまったく通っていなかったから、換気扇も灯りもなかったのよ。勉強するときは灯油ランプを使っていたけど、夜は暗くてね。でも、ここはいつでも活気があった。いろんな人たちが来てくれた。昔よりも平和になった。泥棒なんかもなくなったしね。

私たちはよく働いたわ。店は朝の9時から

松発冰室（チョン・ファッ・カフェ）のオーナーである、ウン・カム・ムイの母は、安全のため店の上にある小部屋で寝ていた。カウンターの後ろにある梯子でしか上階に行くことはできない。

福
Ovaltine

夜遅くまでやっていた。今は立ち退きが始まったから、商売あがったりよ。

　ここにはあまりにも長くいたから、取り壊しの通告は本当にショックだった。どうするかは今も考えているところ。母はこの店に自分の生涯とエネルギーをすべてつぎ込んだわ。少し上の世代は、ここが自分の場所だと思っているの。自分たちで作りあげて暮らしてきたんだから。どれだけの困難があったかなんて、言葉では言い表せないわ。政府は私たちの気持ちなんて、まったくわかってくれない。

　過去には色々な差別も受けた。九龍城出身者は「能無し」なんて呼ばれたものよ。今は強欲張りだって責められているけど。母は昔のことは多くは語らない。私も母と同じ。強い女よ。言いたいことは言うし、知るべきことは聞くわ。でも威張ったりはしていないのよ。この辺りの再開発のときは、相談を受けたぐらいだし。

　政府は自分たちの言うこととやることに責任を持って欲しい。ここの人たちは誰の指図も受けたくないの。でも1960年代には、政府が麻薬取引や売春なんかの犯罪を取り締まった。そして今度は取り壊すなんて言っている。誰かに相談したわけ？

私は、自分は被害者だと思ってる。九龍城は残ってほしい。もちろん問題もあるのだろうけど、私にとっては家族のようなものなの。昔こんな高いビルじゃなくて、低い建物や掘っ立て小屋しかなかった頃は、みんなもっと仲が良かったわ。歩いていると、誰かが挨拶をしてくれた。

高いビルが増えてからは、私は九龍城の奥の方に行くことはほとんどなくなった。店のあるこの端っこにいただけ。香港の他の場所に行くくらいなら、ここから動かない。ここで終わってしまっても本望よ！

政府には5,000,000ドルの補償を要求してるの。母の住む所を見つけるのに1,000,000ドルはかかるし。これからもずっと母の世話はするつもりよ。九龍城以外で、同じような店をやるのは不可能だわ。許可を受けるのは大変だし、ここよりいい場所なんてあるはずない。

政府は交渉に応じるべき。勝手に取り壊して、勝手な条件を押し付けるなんて納得できない。役人には説明したけど、返事もないわ。

わずかながら太陽が南側の龍津道の脇道に差し込んでいる。西頭村（サイ・タウ・ツェン）の不法居住地区が1985年に一掃されてから、九龍城の南側と東側の出口はその残骸で塞がれていた。西頭村は九龍城の一部だと誤解されていることが多かったが、実際には九龍城との境界に赤いカーペットが巻かれ、区別されていた。この地域がなくなってからも、九龍城は入り込めない禁断の場所だと思われていた。実際はここでの生活は、香港の他地域のものと大きくは変わらなかった。城内の住人はむしろ安全だと思っており、小さい子供たちもウロウロとしていた。

地上では30以上の狭い通りや路地が混在していた。幅1メートルに満たないものもある。どの通りも住人や900以上の工場、食堂、商店が使用していて、活気があった。頭上の簡易水道管から水が絶えず滴っているうえに、コンクリート片や生ゴミもあちこちにあるので、荷物の運搬に使う手押し車などは通るのが大変だった。プラスティックや金属のシートが屋根のようになっている所もあったが、道によっては傘が必要だった。それでも商売は盛んだった。料理の出前をする男性や、魚肉団子工場を横切って飲み水を運ぶ女性などの姿は毎日のように見られた。

雰囲気が悪くなるどころか、取り壊しの告知後も通りは和やかで賑やかだった。人々は変わらない生活を送っていた。1975年に行なわれた貴重な調査結果ではこう報告されている。「大半の住民は、世間が持つ九龍城に対するイメージとは違っている。普通の公共住宅の住人と同じで、生活のために懸命に働き、失業や生活環境や子どもの教育についての悩みを持っていた」。

イム・クォク・ユアン　肉加工業

イム・クォク・ユアンは香港にやってきて数年後の1981年に、老人街（ロー・ヤン通り）で肉の調理工場を始めた。

香港にやって来たのは1978年、35歳だった。それまでは広東省の清遠《チンユァン》で農業をしていたんだ。両親は年をとっていたから、5人兄弟の長男として家族を養わなくちゃならなくて。中国での生活もここと変わらなかったな。一生懸命働いても見返りは少なかった。毎朝4時から働いて、日給は20から30セント。自分たちの畑は持っていなかったから、腹が減ってももみ殻や草しかなくて。冬は寒くて腹が減ったし、夏は蚊だらけだった。

1971年からほとんど毎年、香港に密入国しようとチャレンジしてた。距離は短いけど、1メートルくらいの深さの川を泳いだ後、丘を越えなくちゃいけなくてね。木によく引っかかったよ。いつも同じルートを使うんだけど、いつも捕まって投獄されて餓死寸前になった。よく気を失っていたよ。自分の畑を持っていたら、こうまでして来ようとは思わなかっただろうな。

どうにか香港に辿り着いてからは伯父と一緒に暮らして、肉を焼いて売る店で働き始めた。何カ月か修行した後は、九龍城にある伯父の同じような店で働くことになった。弟も香港にやって来た3年後には、通りで自分で売るようになったんだ。

最初は伯父の店で焼いたものを売っていた。この工場を借りたのは3年前さ。自分で通りに出て売ってるよ。店に卸すと、儲けが減っちまうからね。営業許可はないけど、黄大仙《ウォンタイシン》の市場でも売っている。5回捕まったけどね。保釈金は700ドル、罰金は500ドルだけど、１回捕まるごとに10ドルずつ増やされる。商品は没収されるけど、カートや器具類は返してくれる。カートは1,000ドルくらいするんだよ。

毎朝4時には起きて仕事をしてる。目覚まし時計はいらない。体が覚えてしまったみたいだ。それから肉を焼いて、市場で6時15分から8時まで売る。8時からは通りで売っちゃいけないことになってるからね。それから戻って朝飯を食べて、9時には午後の分を焼き始める。10時頃には家に帰って昼飯を作ったり、休憩したり。3時になったらまた市場に行って、家に戻るのは夜の7時か8時くらいだ。

弟と私はここで肉を焼いている。鶏にガチョウに豚。香辛料や塩や砂糖なんかを使ってね。金があったら高い中国酒を使うと良いんだけど、安いのを使ってるよ。

豚を仕入れるには、長沙湾《チョンサーワン》の食肉処理場に連絡するんだ。届いたら、切り分けて、洗って、冷蔵庫に入れる。いつも10匹以上はストックしてる。豚の丸焼き1匹を作るには、準備に3時間。調理そのものは1時間くらいかな。20～30%焼けたら、オーブンから出して乾燥させる。それから強火で表面をあぶると、ジュージューと香ばしくなるんだ。

市場に運ぶのにはカートを使っている。夏の暑い日でも頑張ってるよ。冷蔵庫はうるさいし、オーブンはうるさい上に熱い。ものすごい汗をかくよ。工場にはファンはあるけど、市場に行くと覆いもなにもない。ゴキブリやネズミもいる。それに文句をつけて買ってくれない客がいて、がっかりすることもある。商売は難しいけど、得られるものもあるからそれで十分かな。

よく売れるのは焼き豚だね。取り締まりの巡回がない日は、1日で豚3匹分。それで2～3,000ドル稼げる。見回りがいると、1匹で精一杯だ。祭りの間は、1日に2～30匹分は売れる。休みの日だから巡回もないしね。その時期は寝る暇もないよ。

工場は無許可で、賃貸。九龍城の外では営業許可がいるけど、政府は工場には出さないことにしたらしい。製造直売の小売店

照りのある豚の丸焼きは老人街（ロー・ヤン通り）にあるイム・クォク・ユアンの加工肉工場の名物である。だが、自分の工場を持ってわずか3年で、九龍城の取り壊しが告知された。

巨大な円筒型のオーブンで、商品となる鶏、ガチョウ、豚を焼く。使用中は、夏でも温度が数度上がり、壁やオーブンの外側は油汚れがこびりついている。

だけが許可されている。うちの工場は立ち入り検査を受けたことはないけど、城外の大きな工場より清潔だと思うよ。豚を最初に洗わない所もあるらしいし。

稼ぎが良かった頃に、広東に戻って結婚したんだ。一人息子と女房が香港に来られるように申請してるんだけどね。もう8年も待ってる。九龍城がなくなってしまう前に来られるといいんだけど。

九龍城には2部屋を持っている。ひとつは80,000ドルしたんだが、窓がないし環境は良くない。もうひとつは同じ建物で少し上の階にあって、窓もある。窓のない方を売ってしまおうとしたときに、取り壊しの発表があったんだ。2部屋分の補償額は800,000ドルくらいらしい。

今は弟と伯父と3人で1部屋に住んでいる。もう1部屋は月800ドルで貸している。部屋を買う前は借りていたんだが、そこでは18平方メートルに独身男が8人も暮らしてたんだよ。今の家には寝室が3室、リビングは2室ある。エアコンもあるけど、本当に暑いときにしか使わない。テレビも洗濯機もあるよ。

工場の賃料は月に800ドル。電気代、水道代込みでね。水は水道管からの盗用と、井戸水が半々くらいじゃないかな。日常ではほとんど井戸水を使ってるけど、飲み水だけは水道のものを使っている。停電は起きたことはないね。

九龍城が取り壊されても、得することはないね。住む所は新しくなるだろうけど。うちみたいに賃貸している工場には、移転費用しか出してくれないみたいだ。この商売を始めたときに必要だったのは30,000ドルほどだったけど、もう一度やり直すとなると50,000ドルはいる。取り壊し後にどこへ行くかはまだ決めていない。(→97ページ)

食肉加工業者は、安い賃料と政府による保健衛生立ち入り検査を免除されることを魅力に九龍城に集まった。政府は経営者に衛生関係の「教育と指導」を行なっている。その甲斐あって、業者は調理のプロセスが食品に付着しているバクテリアや有害物質を減らしているのだと理解している。

イム・クォク・ユアンの弟が捌いた豚を洗っている。これから焼いてハチミツなどで味付けをして、叉焼（チャーシュー）になる（左）。九龍城で生産される叉焼のほとんどが香港の屋台に売られるか、地元のレストランにそのまま届けられている(下)。

「九龍城はいまだに治外法権の飛び地のようで、非現実的な雰囲気すら感じられる独特のスラムだ。十分な広さがないため乗り物では入ることはできない。建物は10階、12階建てのものもあるが、密集しているのでひとつの大きな石造建造物に見える。階段、廊下、水道管、ケーブルが入り乱れ、悪臭の漂う通気孔からしか空気は循環しない。じめじめした路地が、建物と建物の間を迷路のように這っている。電気ケーブルが天井を埋め尽くし、恐ろしいことに湿気で水が滴っている。隠れ家みたいな場所だ。どのドアも閉ざされていると、ここにいるのが自分ひとりのように感じることがある。と思うと、突然日が差し込んできたり、悪条件の工場が現れたり、中国音楽が聞こえてきたりするのだ」
ジャン・モリス著「香港」（講談社）

公共住宅に住むとなると、補償額は400,000ドルから130,000ドルに下がるのに、賃料も払わなくちゃいけない。家を買うとなると、もう100,000ドルは余計にかかる。弟にも家を用意してやらなくちゃならないし。

本当は、工場の補償として店舗かなんかが欲しいんだ。これから先、工場をやるのは難しいだろう。ちゃんとした免許を持ってやるなら、田舎の方に行かなきゃならなくなる。そうすると都心に運ぶ間に肉が冷たくなっちまう。住む所より、仕事場を決める方が難問だよ。

香港に来てからは、恐い目に遭ったことなんて一度もない。九龍城には悪いヤツなんていないよ。故郷はもっと貧しい地帯で、衛生状態ももっとひどかった。空気は良かったけどね。そんな所から来たから、香港は天国だった。ここが悲惨だとは思ったことはない。仕事も金もあったら出て行くことも考えたかもしれないけど、学もないし、他では生活できなかったのさ。

トー・グイ・ボン　ゴム加工業

トー・グイ・ボンは龍津路（ロン・チュン裏通り）で、25年間ゴム加工工場を営んでいる。1937年生まれで、九龍城に来る前も同じ仕事をしていた。

来た当時は、ここは石造りで2階建てだった。周りにはなにもなかった。東頭村《トンタウツェン》にも豚小屋がいくつかあるくらいで。家の賃貸や売り出しの手書き広告が、通りに張り出されていた。1階を工場にして、上で暮らしていた。新しいビルに建て替えられるときには、隣に移動したりもした。新しい建物はやっぱりいいよ。安全だし。唯一の不満は、不便なところだ。九龍城の中からも外からも、物がなかなか運び込めないんだ。

政府はここにはあまり関わってこない。労働署が時々安全面のチェックをしていくけど、引っかかったことはないよ。ゴムはプラスチックに比べて、引火しにくい。高い温度になっても大丈夫だ。いつも掃除して、塗装もして、綺麗にしていたよ。取り壊しの発表まではね。それからは、どうでもよくなっちまったけど。

ここには20年以上いる。人を何人か雇ってたこともあるが、今はひとりだけ。ふたりで良く働いているよ。俺は夕飯後も戻ってきて、2時、3時までやってる。かなりハードな仕事だ。手や指はテキパキ動かさなきゃいけない。この機械はずっと使っているんだが、危ないんだよ。城外では安全網を使うらしいが、そんなのはない。だから慎重にやるしかないのさ。

製造工程には段階がいくつかある。まず、ゴムをプレスして伸ばす。それから粉末にした鉱物と着色剤を加える。次にハサミで

トー・グイ・ボン（下）が九龍城に来る前にラバーカップ製造に失敗したのは、コストがかかり過ぎたからだった。60年代に九龍城にやってきた当初は、賃料は月にたったの50ドルだった。

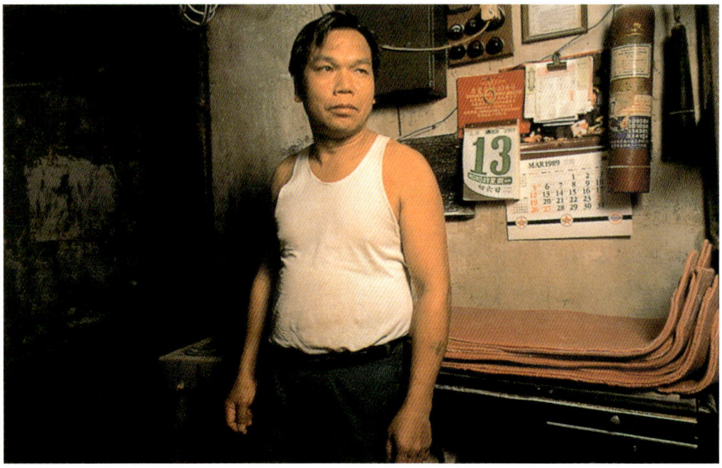

ゴムをカットする。これが大変なんだ。それからカップの形を作るが、これは1分くらいしかかからない。トータルで1時間半くらいかな。1回で20個のラバーカップ（トイレ用の吸引器）が作れる。それしか作れないわけじゃないよ。昔はバドミントンの羽根や水道の栓なんかも作ってた。材料はほとんどがマレーシア、カナダ、ドイツからの輸入だ。

客からは電話で注文があって、卸業者には、一定の値段で売っている。1ダースで約1ドル。自分の給料でトントンだ。輸出するために買っていく客もいる。小売も少しやっているよ。取り壊しが発表されてからは、

商売にならないね。昔からの客も、台湾から買うようになっちまった。九龍城がなくならないのなら、人を雇ってもっと商売を多角化できたのにな。

これからどうするかって？　中国本土に行ってラバーカップを買ってきて売ろうかな。儲からないだろうけど。まだ小さい子どもがふたりいるんだ。今は家しか財産がない。ギャンブルもやらないし、こんなに働いているのにね。

ここで嫌な目に遭ったことはないよ。初めて来た頃には、ヘロインが堂々と売られていた。中毒者が列を作ってたよ。その頃は工場でも色々なことに気をつけていた。例えばヤツらがハサミを盗らないか、とかね。

補償の交渉はまだ終わってないんだけど、この工場を閉めても70,000ドルしかもらえないらしいんだ。こっちの請求額は500,000ドル。それくらいでちょうどなんだけどな。1980年代の最盛期では、月に2〜30,000ドルは儲けていたんだからね。それが取り壊しの発表で台無しさ。

取り壊しがなかったら、この商売を続け

ていたと思ぅ。でも、城外でやるとなると、金が随分かかるんだ。昔は他の仕事もやっていた。白タクの運転手とか。それが違法とされてから、ここにやってきたんだ。また運転手になろうかな。地図を見て勉強しなくちゃね。今はこの近くに住んでいて、飯のために帰って、また仕事をするの繰り返し。仕事が趣味なんだ。たまには公園でボーっとしたり、テレビを見たりするけどね。最近では、サンダル履きのままででかけちゃってるよ。

菓子製造を営むラウ・キム・クォンは、潮州人の祭りのために徹夜で蒸し菓子を作り続けた。九龍城には20年住んでいるが、元は広東省東部出身の潮州人だ。広東人とは話す言葉や文化や習慣も違う潮州人は九龍城の人口の70%もいて、城砦福利会、不動産ディベロッパー、水道業者、そして秘密結社でもその大半を占めていた。彼らは1950年代に九龍城周辺に不法滞在し始め、共産党の支配に耐え兼ねたその親類縁者たちも、言葉や文化に自然と惹きつけられてここに集まってきた。

パートタイムの女性が、魚のすり身で餃子を作っている。ラム・リョン・ポー（上、カメラを向いている男性）らが経営するこの魚肉加工工場は、九龍城の中では清潔な方である。

ラム・リョン・ポー　魚肉加工業

ラム・リョン・ポーは1983年に魚肉加工工場の共同経営者になった。龍津道（ロン・チュン通り）58番地の1階にあるが、この辺りには食品工場が多い。城内唯一の水道から近いためだ。

九龍城でこの工場を操業してからは8、9年になる。西頭村《サイタウツェン》が壊されるまでは、そこでやってたんだ。ずっと前からね。

私がこの工場に入ったのは、九龍城に移ってから。ここは広いんだよ。45平方メートルはある。恐いヤツらから用心棒代を請求されたことはないよ。賃料は安いし、衛生状態もそれほど問題ない。便利だしね。なんでもスムーズに事が運ぶんだ。たとえば、衛生検査は一度も受けたことがない。城外だと他は同じでも、営業許可がいる。本当に必要なら取っただろうけど、ここではいらないから。

今は、魚のすり身を作っているところ。魚肉餃子やイカ団子も作るよ。いつもこの3種類。初めの頃からね。魚肉餃子と魚肉団子では使う魚が違うんだ。餃子には高いウナギを使ってる。イカはタイからの輸入。前は手で混ぜていたんだが、今はミキサー。材料を入れてかき回すだけだから楽だよ。

最初はパートタイムの人はそれほどいなかったんだが、だんだんと増えてきた。近所の人たちも魚肉餃子作りを手伝ってくれてるよ。フルタイムスタッフは5人。私ともうひとりの経営者を合わせて計7人だ。魚肉餃子作りは、パートタイムがほとんど。1日に合計180キログラムは作ってるね。注文がもっと多いときは、もっと頑張るだけさ。もう少しスタッフがいるといいんだろうけど、今のところこれ以上増やすつもりはないよ。

注文のほとんどは城外から。火曜日は売上が少ないんだ。古くからの慣習で、火曜日には魚を食べない人が多いからね。他の曜日にはよく食べているよ。特に鍋料理とか。最近は、魚のすり身は200以上の店に卸している。魚肉餃子は数十店、イカ団子は100店ほど。かなりの量だけど、寒くなっていくと、もっと売れるよ。

チェン・サン　定規製造

チェン・サンは大井街（タイ・チャン通り）の小さな工場で、木製の定規を製造していた。1968年から1990年の立ち退きまで22年間続けた。

　昔は船員だったんだけど、1967年に6人目の末っ子が生まれてから香港に戻ってきて、牛頭角《ガウタウコック》で暮らし始めた。40歳の頃だ。商売のことはよくわからなかったんだが、親戚に勧められて定規の製造を始めた。工場は高山道（コー・サン通り）に借りていたんだが、そのうち九龍城に移った。家賃が安い上に広かったからね。ここは55平方メートルはあると思うよ。

　1947年から、九龍城近くの城南道（サウス・ウォール通り）に住むようになった。その頃の九龍城にはなにもなかった。あるものといえば小山に、野菜畑に、家が数軒ぐらいだね。道もなくてチェン・マン・ユンという店が1軒あっただけ。1950年代には不法滞在者が家を建て出したんだが、60年代の暴動でなくなっちまったね。

　九龍城に来てからは、金がなくて動くこ

とはできなかった。7、8人の従業員がいたこともあるし、輸出もやっていた。船員時代のツテを使って、シンガポールやマレーシアにね。最近は地元やマカオくらいにしか卸さない。海外の業者も少しいるけどね。ここ10年は人を雇っていない。10種類の定規を作っていて、主な客は雑貨店と文房具店さ。

ここで商売を始めて20年になるが、迷惑を受けたことはないよ。麻薬中毒者にもね。ヤツらが来ても、数ドル渡して追い払ってる。唯一大変なのは、原料の木を運んでくること。人を雇うと1回5ドルくらいはかかるから、息子たちにさせている。配達もね。女房も近くの店や昔からの客に配達してくれてるよ。客は何百人といるけど、仲介人はいないね。子どもたちは若かったときは手伝ってくれたんだが、今やってくれてるのは末娘だけだよ。

毎月の製造量は決まってはいない。注文次第だ。仕事はたいてい朝10時から夜の12時か、あるいはもっと遅くまで働いている。夜7時には夕飯を食べて9時まで休憩するけど、それからはまた仕事。ボルネオ産の木を切って、機械で目盛りを貼って。目盛りは娘が手で貼ることもあるよ。売値は色々で、手元に残るのは50%くらい。1ダースで、12インチ（約30センチ）は30ドル、18インチ（約45センチ）は40ドル、36インチ（約90センチ）は60ドルくらいかな。取り壊しの通告には、打撃を受けたよ。海外からの注文は激減した。商品が配送されなくなったら困ると思ったらしい。古くからの客も注文してくれなくなっちまった。

ずっと住んでいて、ここを出ることは滅多にない。朝にちょっと食堂に行くくらいだ。外にも特に変わったものなんてないよ。昔は、子どもたちは工場で私と一緒に夕食をとってたんだが、最近は働いているので、末娘が家に戻る前に作ってくれたものを独りで食べている。私の母が生きていた頃は女房も工場の方にいたんだが、母が亡くなってからは家に戻っている。子どもたちを見ないといけないからね。私は夜もここにいるよ。麻薬中毒者になにもかも持っていかれてはたまらないから。

取り壊しはして欲しくないよ。そうすればまだ何年かは働けて、金も稼げただろう。ここがなくなっちまったら、引退するしかないじゃないか。

立ち退きの補償は60,000ドルくらいだろう。ここは借りているだけだから。それじゃあ、新しい工場は開けない。どうやって出て行けというんだ？　政府には工場を移転させてくれと言ったんだ。場所をくれるならどこでも行くって。でも、ブルドーザーで壊されちまうんだろうな。そうなってもやめはしないけど、60,000ドルは受け取らないつもりだよ。

政府が、話し合いのために家族と一緒に役所に来るようにって言ってきたんだが、「食事を出してくれるんならね」って返事をしたよ。何人かって聞くから8人だって答えたら、じゃあ私がひとりで来いという。200ドル出したらなって言ってやったさ。出かけると、1日分の儲けがなくなちまうからね。

私の補償額は、ここの貸主と一緒くらいであってもいいと思うんだ。私はこの10年間、家賃を払い続けてきた。城外でこの仕事をするには、月に最低でも6,000ドルはかかる。なら、あと5年は働くとして300,000ドルはもらってもいいはずだ。これは、ここの貸主と一緒の額。仕方ないから、工場を閉める準備はしているよ。政府から役人が来たんだが、追い返したよ。ここは立ち退いてもらうなんてぬかすから、出て行くのはお前だ、ノコギリで切っちまうぞって言ってやったよ。平気さ。警察も私のことは良く知っている。

城砦福利会も当てにならないから、この辺の住人同士で、十分な補償をもらえなかった人を助ける会を結成したんだ。家や場所を持っていて貸しているような人は問題ないから、私のような人たちが対象さ。集まって戦略を講じているところだよ。商店の経営者や住人が200人はいる。

政府は補償額を出す前に、それぞれの家の広さを測っている。お役所を恐がることなんてない。私の工場だって、壊したいなら壊せばいい。そんなことに負けはしない。今は、反対の声を上げるチャンスを伺っているところさ。

建築計画というものがまったくなかったため、九龍城では工場や一般住宅が混在している。ある所にプラスチック工場が集中しているかと思えば、すぐ近くに一般家庭の洗濯物が吊り下げられている。潮州（チウチャウ）の伝統で、子どもの生まれた家の扉の上には提灯が飾られている（上）。ある建物の3階廊下（右）。上の方の階になると、少なくとも4つの別の建物に階段でつながっていた。奥に見えるのは漢方医師の看板。

記
光中
Marlboro
Marlboro
MADE IN U.S.A.

郵便配達員のルイは、1976年に九龍城担当になった。今とは違って担当地区を希望できなかったので、行かざるを得なかった。配達員にとって、悪名高い九龍城はいくらお金をもらえても行きたくない地域だった。環境も最悪で、水がどこからともなく滴ってくるので、帽子が欠かせない。見習い配達員でも、香港の他の場所では1週間くらいで状況を把握できるのだが、この暗黒の迷路では3カ月は必要だった。ルイは九龍城の地理をマスターした、貴重な人物である。特に1970年代の建築ブームで、通りの形状や名称が変わり続けていた頃には、彼の右に出る者はいなかった。日々の配達は、老人街（ロー・ヤン通り）のある店からスタートし、そこから集合郵便受けを廻る。古い建物では注意しながら暗い階段を上り下りする。屋上まで行って、日の光を浴びながら建物から建物へと移り歩いたかと思うと、また闇の中へ下っていった。

香港の他の地域と同じで、九龍城の各家の玄関にはその家の氏神が祀られている。幸運を呼び込んで悪を払うようにと、食べ物や線香を供えている。写真中の張り紙のようなものは、中国の旧正月に一年の家内安全を願って掲げられるものである。東頭村道（トン・タウ・ツェン通り）は、九龍城の中では最もきれいで住みやすい地区とされている。比較的広々としていて日光も当たり、大通りからは少し離れているので九龍城の悪い影響を受けていないのだ。建物の階段は他のどこよりも整然としているが、住民は火事を出さないように非常に気を配っている。

チョン一家　住人

チョン・ロー・インは1958年に九龍城に来てから何軒かの建物を移り歩いた後、龍津道（ロン・チュン通り）82番地の部屋を購入した。公園を臨む建物の4階にあり、夕食時には、10人の子どもたちの誰かしらがやって来る。チョン・カイ・マオ（写真中央の眼鏡を掛けている男性）や、チョン・ユク・イーたち（P.114、115）だ。ロー・インは下の写真では青緑色のブラウスを着ている。

九龍城に来て30年以上。住むところはここも入れて10軒以上変わったわ。前は紅磡《ホンハム》に住んでいたんだけど、泥棒が多くて、恐いからここに来たの。火事で焼け出された潮州《チウチャウ》人の一家と一緒に、その跡地に家を建てようってことになってね。建築費用はこっちが出して2階をもらって、1階には彼らが住んで。でも、そこはすぐ手狭になってしまって、別のアパートの2階も借りることになったの。その後10年経って、そこを買い取ろうと思ってたら、ある不動産会社が取引を申し込んできたのよ。

この場所を再開発させてくれれば、新しくした建物の2階をくれると言われて。私たちが親しくしていた人を代理人に立ててきてね。結局、契約したわ。4階建ての古い建物が13階建てに生まれ変わっちゃった。隣りには14階建てがそびえ立ってた。今のこの部屋くらいの広さなら120,000ドル、いや、もっとしたかな。もう少し狭いと、たった80,000ドルだった。完成する前から、よく売れていたのよ。人気があったの。私が業者と契約したのは喫茶店。証人を立ててね。

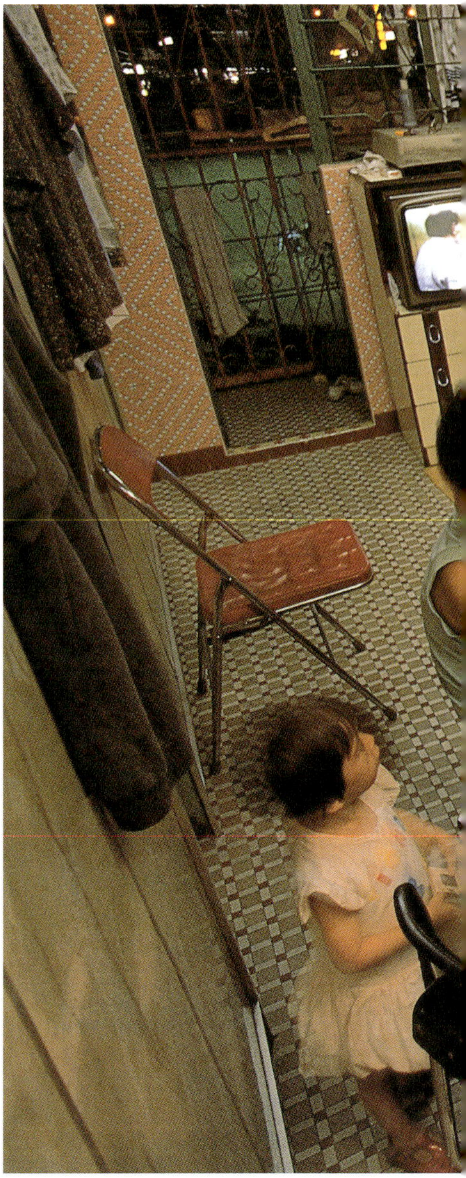

弁護士はいなかった。法的な保証書はなかったけど、私は地元の人間でみんなが知っていたし、業者の彼もみんなが知っていたから。

約束の場所をもらった上に、5階のある場所を半額の月80ドルで借りさせてもらえたの。結局、月100ドルまで値上がりしたけどね。でもその頃には買い取るお金が溜まってた。40,000ドルだった。窓のある1部屋は貸していたこともある。賃料は一番高いときで月35ドル。でも子どもが成長してからは、自分たちで使ったわ。

ここに来る前から九龍城の悪い噂は聞いていたけど、あまり気にしてなかったの。慣れるもんよ。水を手に入れるのは大変だし、麻薬中毒者は恐いけどね。子どもたちにも、無視するように、家にいるようにと言い聞かせてたけど、一応大丈夫だった。次女がひったくりに遭ったことはあるんだけど、犯人は城外の人だったみたい。私は九龍城をウロウロしたことはないの。決まった所しか行かないから、通りの名前もほとんど知らない。

この通りは割と広いし、かなり綺麗でしょう？　ここの暮らしは快適よ。近所はみんな知り合いだから、鍵もほとんどかけない。水道代は必要よ。蛇口から出るのは井戸水。お茶を飲むときには、外の公共水道から汲んでるわ。

子どもは10人いるけど、6人は九龍城に来てから生まれたの。みんな良い子たちよ。悪さもしなかったし。他のアパートで、大きなケンカや暴動があったときには心配したわ。殺された人もいるって聞いたから。子どもたちには家にいるように言って、鍵をかけてた。夜遅くなっても帰ってこないときは、捜し出して連れ戻してきたのよ。

九龍城は壊してほしくないけど、どこかへ行かなきゃならないんでしょうね。城外の人にはボロ儲けだとか言われてるらしいけど、そんなこともないのよ。家は取り上げられても新しいのがもらえるけど、家具なんかはすべて買い替えなんだしね。

九龍城の南端にあるチョン・ロー・インのアパートは、狭いながらも整然としており、風通しが良く、公園も見える。同程度の所得層の家としては、城外のものよりも明らかに快適だ。

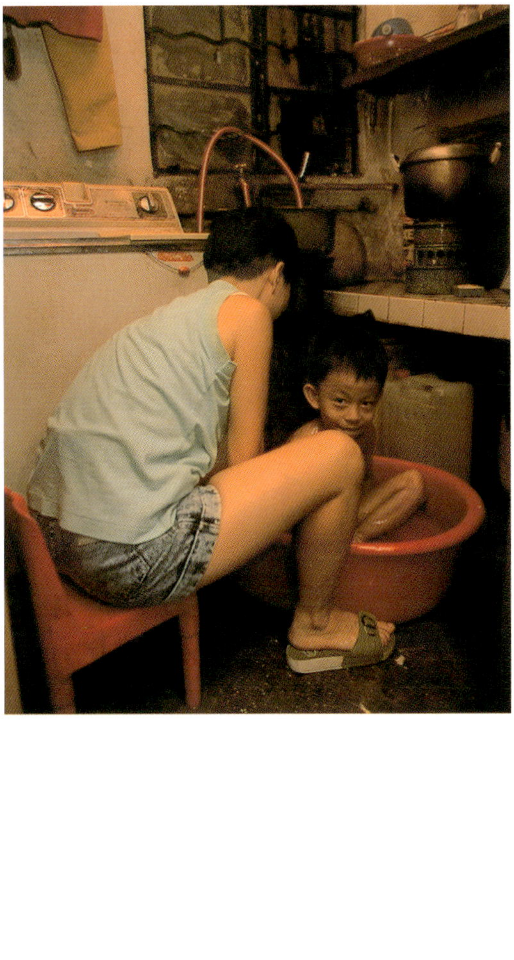

男同士で、海外のエアロビクス番組を楽しんでいる。どこでも見られる夜の光景だ。ロー・インの娘であるチョン・ユク・イーは、香港中の女性に違わず家事にいそしんでいる。料理をした後は、息子と娘を風呂に入れる。水は城内の井戸水で、濁りがある。

ふたりの子どもを寝かしつけるチョン・ユク・イー。寝室は狭いが、家族4人で使っている。暑い夏は扇風機だけが頼りだ。

母ロー・インの家とは違い、ユク・イーの部屋は建物の内側にあり、窓はない。わずか23平方メートルが薄い板でふたつに仕切られている。1室は夫とふたりの子どもとの寝室であり、もう1室はリビングで、身内や友人たちと麻雀を楽しんだりする。

チョン・ロー・インの娘であるチョン・ユク・イーは、1961年に生まれてから1991年の立ち退きまでずっと九龍城で暮らした。夫と娘と息子と共に、実家と同じ建物の別の部屋に住んでいる。

私が小さい頃は、九龍城は今とは全然違った。小さな家と井戸ばっかりで、大きな通りを歩いてもそれしかない。狭い通りは嫌いだったから、通らないようにしていたけど。お寺はたくさんあった。母と大きなお寺に行ったときのことはよく覚えているわ。線香の煙がもうもうとしていて、お年寄りがいて、石柱や石の獅子像があった。

城内は今よりも綺麗だったから、平気で外を歩き回ってたわね。階段の下でヘロインを吸っている人はいたけど、住民はみんな普通の人だった。レイプがあったとも聞かないし、アヘン窟や麻雀荘や賭博場はあったけど、迷惑は受けなかった。階段を降りたところに、誰かが寝ていることがあったりしたけど、大声を出せば近所の人が棒とかを持って助けに来てくれた。ここの人はほとんどが潮州《チウチャウ》出身で、同郷同士で仲が良かったから。

一番困っていたのは下水管がなかったこと。毎朝東頭村《トウタウツェン》の公衆便所にまで、汚物を捨てに行ってたのよ。あと、古い建物の階段はものすごく急だったから、落ちないかビクビクものだったわね。

今は、状況はもっと深刻よ。水道の出が明らかに悪くなっているの。チョロチョロとしかでないし、黒っぽく汚れているから洗濯するとシミになる。電気も暗いし、部屋にいても雨が降ってるかと思うくらい。配線が心配なのよ。いい加減な配線で火事が起きたこともあるくらいなんだし。

とにかく、あちこちが汚くなっているのよ。ネズミだらけよ。娘のベビーベッドの上をネズミが走っていったこともあるんだから。別の日も、娘と寝ていたら誰かに髪の毛を引っ張られて目が覚めたの。頭を触ってみると、ネズミが逃げて行ったわ。

でも、取り壊しには驚いてる。あまりにも突然過ぎて。お役人さんが来て、いつから住んでるのか聞かれた。写真を撮って、名前を確認したら帰っていったわ。取り壊し後は、安い公共住宅に移らされるらしい。環境は良くなるけど、お金も高くなりそうよね。子どもには良いことだってわかっているけど、実際に移るとなると大変よ。ここにあまりにも慣れてしまっているから。

造廠
西醫陳詠蘭
陳偉

夜もふけた東頭村道（トン・タウ・ツェン通り）にあるアパート。

九龍城・我が故郷　リョン・ピン・クワン

リョン・ピン・クワン（梁秉鈞、ペンネーム・也斯）は香港で育ち、70年代に執筆業を始めた。様々な新聞や雑誌に寄稿している他、仲間と共に雑誌も発行している。著書多数。

巨大な建物解体用の鉄球が壁を打ち砕く……九龍城がついに取り壊された。色々と複雑な思いが込み上がって来る。

九龍城で幼少期を過ごした友人がこう言っていた。「よその人は得体の知れない恐い場所だって言うけど、私はここで育ったのよ。通りでいつも遊んでいたし、楽しい思い出がたくさん。恐ろしいことなんてまったくないわ」。

彼女はそう言うが、外部の人間にはやはりそうは思えない。彼女も小学生になったとき、九龍城から来たと言ったら、先生やクラスメートから変な目で見られたそうだ。感受性が強いからだと思うが、皆から嫌がられているような気がしたという。それが原因で、彼女は学校を変わった。新しい学校では、別の住所を使った。デートをするような年になったときには、ボーイフレンドに車を九龍城から少し離れた所に止めてもらい、そこに住んでいるふりをしていた。九龍城に住んでいることがわかったら、逃げ帰られてしまうからだ。

「人に九龍城で育ったって言えるようになるには、時間がかかったけど」と彼女も言う。そのときには結婚や離婚を経験し、九龍城を離れてから何年かが経っていた。1987年に取り壊しが発表されると、我々の仲間内で九龍城の中に入って見てみたいという声が上がった。そのとき彼女は、しばらく帰っていないとは言いながらも、ガイド役をしてくれた。

「男の子たちは、通りにある水道で体を洗ったり、ボール遊びをしたり。みんないたずらっ子で、スズメを石弓で打って喜んだりしていたわ」。小さな頃のことはあまり覚えていないらしいが、状況がどのように変わってきたかは次の言葉からわかる。「九龍城はふたつに分かれていた。片側には東頭村《トゥンタウツェン》のように高い建物が立ち並んでいたけど、反対側（西頭村《サイタウツェン》）には木造の不法居住者の家が一杯だった」。

彼女はそれより前のことは知らないが、お年寄りによると、昔も「取り壊し計画」が何回かあったそうである。1936年のものは住民が反対して計画が立ち消え、1948年には取り壊し部隊がやって来たものの、住民たちの抵抗にあって退散したそうだ。

以上はすべて私たちが生まれる前の出来事である。これらの記録は残っていない。とある老人の言葉から、当時の憤りが察せられる。「助けを求めに何人かが広州に向かった。広州では学生がデモをし、取り壊しの中止を求めてイギリス領事館に掲げられた旗を引き摺り下ろしていた」。

結局九龍城は取り壊しを免れたが、それから状況は静かに変わってきた。1987年に私たちが訪れた頃に、香港政庁が再び取り壊しを通告したが、もはや中国サイドは反対しなかった。外務省も「全面的に合意」したと発表したほどである。これは、1997年に向かっての中英両国交渉の中で暗黙の了解として扱われた。

九龍城内の一般市民にとっての最大の問題は、どうやって生きていくかだった。先の老人はこう言う。「我々のために声を上げてくれる人がいるのだろうか？　今回、中国側は自分たちでどうにか法的手段を捜せと言っている。こっちはオリの中の動物みたいなものだよ」。

補償額は城外で同等の生活を送るのに充分なのだろうか？　九龍城は残してはいけない場所なのだろうか？　現状は変えるべきなのだろうか？　住人にとって九龍城は故郷だ。彼らは存続を望んでおり、度重なる試練とも戦ってきた。

ここはどんな場所なのだろう？　路地に野ざらしにされている大砲がその象徴だ。前世紀には商船が停泊する桟橋があり、周りは石壁で囲まれていた。やがて桟橋はなくなり、壁も壊されて空港の建設に使用された。壁という境界線がなくなり、昔からある防波堤もなくなった。新しいものと古いものが境目なく混在するこの地とはどうい

九龍城南西部。着陸体勢に入った飛行機が、わずか800メートル先の啓徳空港に向かっている。

古い建物の屋上は、その周辺住人の庭であるかのように好き勝手に使われている。生活の大変さにもかかわらず——むしろそれゆえなのかもしれないが——、近所同士では強い仲間意識があった。

う所なのだろう?

老人街（ロー・ヤン通り）には老人センターがあり、大井街（タイ・チャン通り）には実際に井戸があり、すべては名前にちなんでいる。だが、光明街（クォン・ミン通り）は、どうだろう? 何年もの間、灯りがついているといえばヘロインの取引場所だった。売春宿、賭博場、麻薬取引場など、あらゆる悪事がはびこっていた。だがそこからさほど離れていない所に、私の友人が幼少期を過ごした、幸せで自由な場所もあった。ここでは売春宿の向こう側で、神父が説法を唱えながら恵まれない人たちにミルクを与えていたり、ソーシャルワーカーが働く横で、麻薬中毒者が列を成していたりする。昼間の子どもの遊び場も、夜になるとストリップショーの会場になるという雑然とした場所だったのだ。恐ろしそうに見えるが、人々はいたって普通の生活を送っていた。香港の他の地域となんら変わりはない。

だがここには法律もなく、どこにも管理されていなかった。近年は違法な商売は廃れ、人々は地道にお金を稼いでいる。魚肉団子や豚肉料理は名物だ。衛生面に問題があるように思えるかもしれないが、香港の

立ち退きの最終段階に入った西城路（サイ・シン通り）の寂れたビルに夕陽が差し込んでいる。長くにわたって、悪の巣窟、危険な場所として知られていた九龍城だが、取り壊しが近くなってからは、同じように労働者層が集まる香港の他の地域とは別の様相を見せていた。

大通りでも狭い路地でも人気の商品である。歯医者も非常に多い。中国本土の免許しか取得できていない人でも、ここでは法で罰せられることなく看板を掲げることができた。こうしてこの混沌とした場所で、「隙間生活」が成り立った。もちろん実際に暮らす人々には、これが突然終わってしまうのではという不安が常につきまとっていた。

滞在中には屋上にも上った。また、友人の案内で高いビルから他のビルに不思議な道を通って移ってみた。上ったり、下りたりを繰り返す。普通のルールが通用しないような場所では、普通でない近道を通るのは当たり前なのだろう。下に人が見える。山を上っているかのようだ。秘密の場所でも見つけた気分になっていたが、壊れた鏡に映った自分たちの姿を見て衝撃を受けた。私たちの方がこの場所に取り込まれてしまっているではないか！

九龍城に行ったのはそれが最後だった。友人は香港を離れ、もう戻って来ないつもりだと言っていた。外国を旅すると、しばしば気さくな人に出会うが、彼らには遠くからやって来たという雰囲気が感じられる。話してみると、香港——この美しさと醜さが渾然一体となった街——出身だということがわかる。彼らは素性を隠すのが非常にうまい。私は何度となく九龍城出身の友人のことを思い出した。

海外へ行くと私は会う人に香港は決して恐ろしい街ではないと説明するのだが、一度戻って来ると私自身なにかにつけ文句をつけてしまい、意識的にも無意識にも香港の友人知人を怒らせてしまっている。外国にいるときは、香港にも独自の文化がないわけではないと思っているのだが、実際香港にいるとまた違う感じを抱く。どうして我々は外部の基準に従っているのか、なぜ独自の文化を築けないのかと自問してしまい、その結果、孤独を感じてしまうのだ。まるで自分がよそ者になったかのように。

この何年かも九龍城の取り壊しについての議論は続いており、反対の声がなくなったわけではない。歩いた通りや出会った人のことは今でも心配だ。あの人たちは、変化を受け入れて城外で新しい生活を送れるのだろうか？　生きていくのに必要なお金と場所はあるのだろか？　だが、ネズミが

1840年代に建てられた衙門の入り口（上段）。屋根の付け方（中段）をはじめ、中国南部に多く見られる建築工法であり、取り壊し後に唯一保存された建物である。

走り、大砲が野ざらしになっている狭く湿っぽい路地を思い出すと、ただの郷愁や好奇心から、この地を残して欲しいとは言えない。

思い入れを持つと歴史とは向き合えなくなる。九龍城を訪ねたときは、自分の住んでいる地域に似ているとはとても思えなかった。だが、人々はあちこちでおしゃべりをしていた。家族の健康など、日常のたわいもない話題。それは香港中で見られる光景と同じである。

立ち退きが完了する直前に、仲間の何人かが九龍城に侵入して捨てられていたものをいくつか持ち出してきた。それを「九龍城の遺産」としてあるワークショップで展示し、住人の苦境にスポットを当てた。ある写真家はなにもない屋上などの写真を撮った。芸能の仕事をしている知人は九龍城でなにかを上演したいと言ったが、残念ながらこれは実現しなかった。誰もいなくなった古い店、路地の張り紙、ソロバン、古い算数の本、黄ばんだ写真などを見ていると、九龍城の亡霊が前に立ちはだかるように感じられる。しかし、このバラバラになったものたちは、もはや元の場所には帰れない。

巨大な建物解体用の鉄球が壁を打ち砕く……九龍城がついに取り壊された。今後は、ノスタルジーからだけでなく、よりよく理解するために九龍城の思い出話をしたいと思う。

衙門を建て替えたかつての軍人用宿舎。建築としての価値が考えられず、衙門は玄関（左ページ）を除いて何度も立て替えられた。ここは1970年代に福音自伝会（CNEC）のリビング・ワード教会に引き継がれたが、代表者のアイザック・ルイ尊師（P.130参照）の意向で、それ以降手は加えられなかった。儲かる話が来ても、尊師は九龍城にも綺麗な空気と太陽の光を楽しむ場所は必要だと言って断っていた。近隣の建物から投げ込まれるゴミは悩みの種だったが、入り口付近の木は、飾りはビニール袋というクリスマスツリーとして親しまれていた。天気の良い日は、中庭には人が集まり、よもやま話や夕食のための野菜の下ごしらえ、編物などをしていた。

サイモン・ウォン　救世軍幼稚園

英国救世軍の幼稚園は、龍津路（ロン・チュン裏通り）に古くからある。インタビューに応じてくれたのは、救世軍の九龍城代表サイモン・ウォンだった。

救世軍が九龍城での活動を開始したのは1968年のことです。7歳くらいの少女が、九龍城の自分が暮らしている地域に小学校を作って欲しいと頼みに来たのがきっかけでした。

教会に併設した小学校を設立することになり、良い場所も借りられたのですが、貸主にキリストの像を掲げること、布教活動をすることを禁止されました。初めのうち彼はしょっちゅうやって来て、キリストの写真を見つけると引き剥がしていました。帰ったのを確認して、貼り直したりしたものです。何回か続くうちに諦めたようで、場所を売ってくれることになりました。

ですが、小学校はそのうち閉鎖になりました。ここを卒業しても認定試験が受けられなかったり、政府管轄の中学校へ上がれなかったりしたからです。認可を受けようと役所に何度も足を運びましたが、だめでした。正式な回答すらなかったのですが、九龍城は香港政庁の管轄外なので認定できないとされていたようです。

幼稚園を開くのは、それに比べれば大変ではありませんでした。当初は九龍城のみでしたが、今は城外の子どもも受け入れています。月謝は基本的には無料ですが、可能な限り1学期ごとに100ドルの寄付をお願いしています。お金を払うことで、子どもの教育に対しての責任感を持って欲しいからです。中国人の間では無料の学校は良くないと思われているというのも理由のひとつです。けれども、これではすべての費用は賄いきれません。1年で子どもひとりにつき7,000ドル、計500,000ドルかかっています。

ここでは家族のサポートもしています。あるふたりの園児の母親が不法滞在で中国に送還されて、建設現場で働く父親だけでは面倒を見られなくなったことがありました。子どもたちの清潔感や生活態度に問題が出てくるまでわからなかったのですが、近所の方に生活全般の面倒を見ていただけるようにお願いしました。こういうことには、助成金を充てています。

入園には両親の身分証明書や、子どもの出生証明書は必要ありません。ただここに来て、子どもを入れたいと言ってもらえれば大丈夫です。門戸は広く開けています。母親が不法滞在者だという園児もいます。昔は、九龍城の住人の1割がそうした人たちでしたから。園児については住所しか把握していません。ですから、政府や他の機関が九龍城の不法滞在者の数を尋ねてきても、答えられません。

園児の精神状態は不安定な場合が多いです。動き過ぎの子もいれば、おとなし過ぎや無気力な子もいます。親が部屋に閉じ込めて、外で遊ばせないからでしょう。九龍城は汚くて危険だと思われているようです。

園では、月に最低2回は遠足に行くことにしています。城外の公園や、九龍公園など

です。交通費やお弁当代を考えると、これ以上は行けません。80人の園児に1回あたり1,600ドルがかかりますから。父兄はこの遠足を快く思っていないようです。幼稚園は読み書きなどを習う所だと思っているのでしょう。しかし、これは譲れません。とにかく、子どもたちにはもっと太陽の光を浴びて欲しいのです。九龍城では不可能なのですから。

財政面とは別の大きな問題が電気です。ここは環境が良くないので、夏と冬にはエアコンが必要ですが、お金がかかります。助成金を受けられるように努力はしていますが、認可を受けておらず、九龍城という土地柄もあってなかなか難しい状態です。

確実に資金援助をお願いできるのは、救世軍と関係があるカナディアン・クラブ、アメリカ女性協会、ドイツ・スピーキング・クラブ、オランダ女性委員会などです。外国の団体の方が好意的なようです。オーストリアのキワニスクラブ（※実業、知的職業界の人々の理想を広めるために1915年に米国のデトロイトで設立された米国・カナダの民間奉仕団体）のメンバーである男性は、ヨーロッパの幼稚園に寄付をしておられ、この園にも毎年100,000ドル以上頂いて

います。

毎週日曜日にはここは教会になり、10から12人が集まって礼拝をしています。皆、九龍城の住人だったのですが、取り壊しが発表されてから城外に出て行った人もいます。ですが、教会には来てくれているのです。ほとんどがお年寄りで、九龍城から遠く離れられなかった人たちです。

九龍城の環境は1960年代、70年代は随分と良かった気がします。秘密結社が麻薬中毒者を雇用して清掃事業をしていたし、建

物も人も今よりずっと少なかったからでしょう。警察官も治安強化のために巡回していました。九龍城は恐ろしい場所だと思っている人が多いようですが、昔——特に60、70年代——は平和で、夜も鍵をかけずに出かけられるほどでした。「大哥《ダイコー》（ビック・ブラザー）」という恐い連中はいましたが、わざわざトラブルを起こす人はいませんでした。取り壊しが発表されてからは、人の出入りが激しくなって犯罪が増えたと言われています。

幼稚園の運営はうまくいっていますが、火事は心配です。1988年から定期的に避難訓練を行なっています。昨年、肉の加工工場で火事がありました。幸い大事には至りませんでしたが、また起こらないとも限りません。

危険だとされている九龍城で働いてくれる先生を見つけるのは大変です。救世軍の

1980年代後半になると、衙門の建物はほとんど使われなくなった。部分的には倉庫や老人センターにされたが、大部分は廃墟となった。例外はあり、福音自伝会が1970年代に引き継いだ建物は麻薬中毒者用のクリニックになって、後には小学校として活かされた。1975年には、香港政庁が義務教育を導入したため閉鎖されたが、教室は放置され、椅子や机、ポスター、床に塗られたワックスも残ったままだった。

別の学校で働いていた人に、事前に事情を話した上で来てもらっています。

1990年の7月にはここを出て行かないといけないでしょう。補償金はいらないので、代わりに新しい学校を用意して欲しいです。政府は新しい住宅地に場所を貸すと言ってきましたが、それでは困ります。ここは購入したのですから、賃料のいらない、ずっと続けていける場所を提供するべきでしょう。

新しく住む所が決まっている家庭には、救世軍の別の学校を紹介しています。荃湾《ツェンワン》の園には既に何名かが転校しました。不法滞在している父兄からは、身分証明書を取る手助けをして欲しいと言われますが、それは無理な話です。お年寄りのいるお家には、デイケア・センターも紹介しています。また他の地域にも託児施設を造ってもらえるように政府に働きかけています。問題がひとつ解決すれば、それがきっかけとなって他のことも解決してくれる、そう信じて頑張っています。

アイザック・ルイ尊師　牧師

アイザック・ルイ尊師は1950年代後半に福音自伝会リビング・ワード教会の牧師となり、学校、診療所、教会などを運営した。1971年には九龍城中心部にある古い衙門の建物を引き継ぎ、以来20年間そのまま使用していたが、1991年に立ち退きを余儀なくされた。

私は1935年生まれで、中国の故郷から1950年に香港にやって来ました。その頃は政治的に不安定で、皆が自由を求めて中国を後にしていました。

こちらに来てからの生活は大変でした。仕事のある人しか生き残ることはできません。私は広東語がしゃべれなかったので孤独でしたよ。あるとき、通りで見知らぬ男性から「キリストのお話を聞きに来ませんか?」と声を掛けられました。その夜に行ってみると、彼はイエスの生と死について話をし、私の話も聞いてくれたんです。イエスを信じなさいと言われ、私は膝をついて神に祈りを捧げました。それがきっかけで教会に通うようになりました。寂しくなったら賛美歌を歌い、聖書を読むとこれまでの虚無感がなくなっていくのがわかりました。

それから1年たって、私は自分以外の人々にもイエスのことを伝えたいと思うようになりました。ですが、広東語がしゃべれません。そのとき、例の神父が助手をして欲しいと言ってくれました。もちろん引き受けて、その後3年間はある神学校に派遣されました。九龍城に学校を作ったのもその頃です。掘っ立て小屋を何軒か借りて、子どもたちを集めて読み書きを教えていました。

アイザック・ルイ尊師は牧師として30年以上、城内の麻薬中毒者、子どもたち、老人たちと接してきた。穏やかながら熱意があり、慈悲に満ちた伝道者である。

1960年には龍津道（ロン・チュン通り）の4階建ての建物に、ゴスペルセンターを創設しました。1階にはチャペル、中2階には麻薬中毒者のためのクリニックとリハビリセンター、3階より上は徳成《タクシン》という学校を開きました。一番多いときには幼稚園児から小学校6年生まで420人の子どもたちがいました。他の学校と変わらない内容で、児童のほとんどは城内から来ていました。

1971年には現在の場所に移転しました。城内の中心部にあり、元は老人センター（さらに前は衙門）でした。ここでも学校、チャペル、クリニックをやっていたのですが、しばらくして医師が油塘《ヤウトン》に行ってしまいました。せっかく回復した中毒者たちが、また麻薬に手を出すのに匙を投げてしまったのです。でも、後を英国救世軍が引き継いでくれました。

1975年になると、児童の数が減り始めました。この学校は政府に認可されていないため、上の学校に上がるための試験が受けられないからです。そのため1978年には閉鎖して、79年には老人用の集会所を建てました。

当初の財政状態はとても厳しいものでした。センターの開放時間は、月曜日から土曜日の午後と日曜日。政府に認可を求めて、いくらか援助が受けられるようになってからは、精力的に活動しました。九龍城でもビラを配ったりしましたが、ほとんどのサービスが無料であるのをなかなか信じてもらえなかったようです。最初は2、3人でしたが、だんだんメンバーが増えて現在は184名になります。

ロータリークラブ（※地域奉仕・世界平和を目指す事業クラブ）との関係が良好だったのは幸いでした。1978年には施設の改善のために何十万ドルという寄付を頂きました。毎年のクリスマスプレゼントの他、椅子を購入したり、修理費用を出したりもして下さっています。

政府は代替地として観塘《クントン》に150平方メートルほどの場所を用意してくれましたが、ここの3分の1ほどしかありません。これまでに約3割のお年寄りが出て行きました。彼らには新しい住まいの近くの施設を紹介しています。もちろん、我々は移転後もお年寄

りのケアを続けていくつもりです。出て行ったお年寄りの中にはここに通いたいという人もいましたが、それは危険だから止めるように言いました。見捨てるつもりかと不満を言われましたが、そうではなく心配しているからこそだと説得しました。せっかく築いた交友関係の他、色々なサービスも捨てがたかったようです。

ここでは午後にお茶とお菓子をふるまっています。それを昼食代わりにする人もいるので政府の社会福祉課は反対しているのですが、中国に住む子どものためにお金が必要なお年寄りもおり、少しでも手助けになればと続けています。新しい場所にはちゃんとした台所はないのですが、できるだけのことはしたいと思っています。

数年前には、毎年10,000ドルほどしか資金がなかったのですが、今はコミュニティー・チェストや他の教会から年30,000ドルの寄付を頂いています。だから、ボランティアで来てもらっているふたりの女性にも給料を支払うことができています。ふたりとも子どもを持つ母親ですが、とても熱心で休暇もほとんど取りません。昨年からはさらにひとり監督者にも来てもらいました。こちらにはコミュニティー・チェストから給料が支払われています。

小旅行に行くのも恒例になっています。いつも90人ほど参加者がいて、バス3台を貸し切ります。例のふたりの女性と私が引率し、季節ごとに1回を目標にしています。お年寄りは外で食事をするのが好きなようです。海洋公園やサーカスにも行きました。参加費はわずかで、残りはセンター負担です。

私が九龍城に住み始めたのは1971年でした。50年代半ばから度々来ていたので、恐くはなかったです。60年代には麻薬中毒者も多く——学校の屋上からも見えていました——、賭博場などもありましたが、70年代になると徐々に減っていきました。私たちが被害を受けることはありませんでした。彼らも私たちが住民にやっていることを理解していたようです。

教会の第一の目的は法話《ほうわ》をすることなので、今ではセンターのお年寄りの50人がイエスを信仰してくれているのは大変嬉しいことです。これからもお年寄りのお世話は続けていきたいし、観塘でもそうできればいいと思っています。

センターには活発な人もいれば、静かな人もいるし、気難しい人もいます。皆、気の向くままに出入りしていますが、メンバーが少なくなると閉鎖されてしまうのではと心配している人もいるようです。お年寄りと接するには気を長く持たなくてはいけません。子どもは叱ることができても、お年寄りにはそうはできませんから。

福音自伝会の老人センターでの礼拝。ピアノが奏でられ、歌も歌われる。ほとんどが女性だが皆クリスチャンというわけではない（その必要はなかった）。もちろんクリスチャンもいた。宗教以外の講座も賑わっていた。例えば習字教室は、字を習ったことのない人たちに人気であった。だがなによりも、ここは社交の場だった。友好関係が築け、快適に過ごすことができ、お茶やテレビ――多くの人にとっては贅沢品――も毎日楽しむことができた。

老人中心
行事曆
11-3 生日會

アイザック・ルイ尊師の老人センターの常連たち。非公式にだが、センターでは福祉サービスも行なっていた。一日以上顔を見せない人がいるとスタッフや仲間が心配し、家を訪問していた。

老人センターの利用者は女性が大半だ。多くは独り暮らしで、小さな部屋を共用して住んでいる。中国人中流家庭で家政婦として働いて、何年もかかって九龍城の狭い一室を買うだけのお金を貯めた人がほとんどだが、元工場労働者や主婦もいる。彼女たち、いや他の老人にとっても、九龍城の取り壊しは痛手であった。香港の新しい住宅地にバラバラに転居させられたが、九龍城の気さくさや福音自伝会での集まりがなくなってしまうことに耐えがたい人も多かった。

クォク・ラウ・ヒン　元清掃人

九龍城の住人ではないが、クォク・ラウ・ヒンは老人センターの常連で、将軍澳《ジャンクベイ》に引っ越した後も通い続けた。1989年のインタビュー当時73歳だった。

前は姉と一緒に油麻地《ヤウマティ》の上海街にあるアパートの2階に住んでいたけど、そこが取り壊されることになって、九龍城近くの西頭《サイタウ》新街5C番地のアパートの2階の部屋を買った。4部屋あったけど、ベッドやテーブルや椅子を置いたらそれで一杯。近くの狭い路地を通ると、客引き中の売春婦がいて、犬肉を売る店が並んでた。

アパートは当時4,000ドルで買った。いとこが4分の1払って1部屋使ってた。姉も4分の1出して、自分の部屋は月50ドルで貸していた。残り半分が私だから2部屋持ってたんだけど、ひとつは貸していた。水や電気はちゃんと通ってて、支払も毎月きっちりやっていた。九龍城の人たちは水を盗んでいたらしいね。最上階だったから、夏は暑くてオーブンの中にいるみたいだった。涼しいから床に直接寝てたもんだよ。ものすごく暑くても、それ以外にどうしようもなかったけど！

その頃は30歳。今は73だよ。ジャーディン航空（航空会社の業務代理店）で掃除と雑用をしていた。仕事は半日だけ。12時半になると中環《セントラル》（※香港島の中央）の仕事場を出て、九龍公園の涼しい所に暗くなるまでいた。涼しくなるまでは帰らなかった。朝は5時起き。7時からは中環で仕事。事務所を掃除したり、灰皿を拭いたり。9時には人が来るからそれまでにお茶の用意。給料は月に100ドルくらい。時間が余るとおもちゃの組み立てのアルバイトもした。生活の足しにするためにね。通勤のお金は別にもらってた。事務所は空調が効いていたけど、家に帰ったら焼き網にのった魚だったよ。

家には暗くなるまで帰らない。ご飯を作って食べたあとは、また外に涼みに行く。九龍城の中には絶対入らなかった。犬肉を売っているし、得体の知れない連中がたくさんいたから。道で若い男に金を盗られたこともあるんだ。持ち合わせの20ドルを渡した。たいていそれくらいしか持ち歩いていなかったから。でも「城外の人間じゃなかったら、これっぽっちじゃ許さなかったぞ」なんて言われちまったよ。

1985年に西頭村《サイタウツェン》の取り壊しが決まってからは、政府のお役人があちこちにいて、四六時中監視されてた。ここに住んでいることを証明しなければ、代わりに住む場所がもらえなかった。結局一家で楽華《ロクワー》団地に移った。息子とその嫁と私で3人用のアパート、娘と婿と孫娘ふたりで4人用の家をもらった。

住み替えるとなると、部屋を貸していた人たちのことが問題だった。ひとりは出たくないと言ったけど、数カ月分の滞納家賃をチャラにするってことで納得してもらった。もうひとりはじいさんだったんだけど、ある日突然消えちまって。IDカード（※身分証明書）を持っていたから殺されちゃったんだろうね。香港のIDカードは当時10,000ドルで密入国者に売れるって言われていたから。じいさんは結局見つからなくて、息子がそれまで5カ月分の家賃を払ってくれた。

九龍城の近くに来る前に結婚していたけど、連れ合いは早くに亡くなった。子どもは息子がふたりと娘がひとり。上の息子は烏溪沙《ウーカイシャ》の孤児院育ち。高校を出て、イギリスで看護師になった。今はカナダに移住してる。ジャーディン航空の勤続15周年で航空券がもらえたから、会いに行ったこともあるんだよ。

下の息子は小学校6年で学校に行きたがならくなって、潮州《チウチャウ》人の職人さんに弟子入りした。おもちゃの塗装だったんだけど、あるときちょっと後をつけてみたら本当に働いていてホッとしたね！　今はもっと儲け

クォク・ラウ・ヒンとチャン・バン・フォン。老人センターで。

ほのかに甘い糯米粥（ロウマイジョッ）は、クォク・ラウ・ヒンや友人たちにとってはごちそうだ。彼女は九龍城についてこう言った。「この何十年かでものすごく変わった。なくなっても残念じゃない」。

のいい家の塗装をしている。

九龍城に老人センターがあることは知らなかった。教会で知り合った人が九龍城に入っていくのを見て、なにがあるのか聞いてみたらセンターがあって、それから通うようになった。もう仕事は引退していた。65歳で。最初の1年は午前にしか行かなかった。午後には粥が配られるけど、行きづらくて。センターではいろんなことをやっていた。料理教室もあったけど、習字教室を選んだ。手芸や刺繍も楽しかった。今では仲間もできたから、午後も行って粥をごちそうになっているよ！

教会のファン神父の力添えで、老人施設に入ることができた。ひどい風邪を引いてセンターで倒れたことがあったのを心配してくれて。ここもなくなるかもしれないんだってね。どこか別の場所に移るかもしれないらしいけど。

九龍城が取り壊されると聞いて、少し寂しかった。ここが発展して次々と高い建物が建つのを見てきたから。そういえば昔火事があって、うちの近くまで炎が迫ってきたことがあったね。それからはいつでも逃げられるようにしていた。九龍城に住むには火事の危険がつきものだった。でも貧しい人間にとってはそんな所でも安心できる場所だったんだよ。

天后古廟にはゴミのせいでほとんど日が射さない。1951年、老人街（ロー・ヤン通り）の外れに近代的に建て替えられたが、それまでは海岸近い村外れにあった。元の建物は日本軍の占領中に空港の拡張のために取り壊されたが、地元住民が本殿だけは守った。天后という漁師の守護神が祀られているために海岸の近くにあったのだが、九龍城に移ったのは元漁師の潮州人が多くいるからである。ごく普通の廟だが、周囲の建物が上にネットのようなものをつけてゴミを捨てていた（上）。

リー・ユー・チュン一家の製飴業は非常に順調で、場所が足りないためにすぐ側の西城路（サイ・シン通り）にまで作業場を広げている。他の商売人と同様、ユー・チュンも政府の補償額には納得がいっていないが、政府は証明可能な利益分をきちんと補償していると主張している。

リー・ユー・チュン　製飴業

リー・ユー・チュンは家族が製飴業を始めた1964年から、まだ10歳にもならないのに工場を手伝っていた。深水埗《シンソイポー》で創業して数年後に九龍城に移り、1970年代後半に西城路（サイ・シン通り）12番地に落ち着いた。

私がまだ子どもの頃に一家で飴工場を始めたの。父は海外から香港に戻ってきたばかりで、最初は石鹸工場をやっていたんだけど、私がお菓子好きでね。当時住んでた深水埗では、いつも近所で買ってたんだけど、それがきっかけで父は飴工場を思いついたらしいわ。

初めの頃は砂糖を溶かすのに炭のストーブを使っていたけど、それからは石油ストーブ。一度に4キロくらい溶かすの。機械もなかったから飴は手で伸ばしていたわ。お客はまだ多くなくて、兄が宣伝して歩いてた。工場の名前はチュイ・フォン。一家総出でやってたわよ。近所の人も手伝いに来てくれていたけどね。何年かは深水埗にいて、軌道に乗った頃に営業許可証の申請をしたの。でもそこが取り壊されるから、慈雲山《ツェワンサン》に移らないといけなくなって。ここには今でも家族が住んでいるけど、工場には向いていなかったみたいで、父は工場の場所を探してた。お客さんの紹介で九龍城に決まったの。1967年だったわ。

九龍城では小さな家を2階分借りて、1階では砂糖を溶かして伸ばして、2階では包装をしていた。九龍城は工場だけで、住んでいたのは慈雲山だったけど、後から私は住むようになった。そこが取り壊されることになって、今の場所に移ったの。最初は借りていたんだけど、後には40,000ドルで買い取ったわ。

九龍城に移った頃もほとんどの仕事は手でやっていたんだけど、しばらくしてシロップを作って冷ます機械を入れたの。これは画期的に早かったわ。18キロが1時間半でできて、飴状にするのは15分。今はこの流れが全部自動よ。高い機械を6台も入れてるんだけど、最近は扱える人がいないのよね。

人がたくさん出て行ってしまったから。

できた飴はたいていは地元の問屋に卸すの。マカオにも少し。今は営業担当者がいて、弟もそうなんだけど、配達も彼らでやってるわ。ミニバンやトラックを借りることもある。在庫は370キロほど置いているけど、必要なときには売るわ。資金がそんなにあるわけじゃないから、次の配達までには前の分の支払をもらうようにしてる。おもちゃ工場もやっているのよ。お菓子をおもちゃの中に入れるの。そうすると包装がいらないじゃない。

材料も多くはストックしてないの。よく使う砂糖、着色剤、香料、ココナッツオイルだけね。ビニール袋と紙は大量に使うわ。紙は今は日本からの輸入。イギリスのが高くなっちゃったから。

今でも家族みんなでやっているのよ。70歳になるおばあちゃんまで手伝ってる。やめろって言ってるんだけど、家にいるだけじゃ退屈らしくて。

ここで働いている子どもたちはみんな近所の子よ。学校みたいなもんね。まとまって来て、卒業していく感じ。まだ若いから、働くのも楽しいみたい。いつ来ていつ帰ってもいいの。1回に30分の子もいるわ。バイト料は出来高払いよ。4キロ包んで40セント。20年前は5セントだったわね。

みんな親の許可を取ってから来てもらってるわ。母親たちが子どもの様子を見に来ることもある。みんないい家の子よ。本なんかを買うお小遣いにしてるみたい。ここに来てた子の中には大学を出て海外で働いている子もいるのよ。いつも連絡をくれて、帰ったらここに来てくれる。政府の労働署のお役人さんたちがたまに来て、従業員の数をチェックしていくの。子どもたちも目には入っているはずよ。

いつも仕事は朝の7時から夕方の6時まで。包装は9時までやっているわ。自営業だから時間の融通はきくわよ。疲れたら休むし。儲けは給料分を除いてはほとんど残らない。でも借金はないし、兄弟ともうまくやってる。所得申告はしているけど、税金を払うほどは儲けてないわ。機械を入れると、3年間は税金がいらないらしいしね。

飴の味は色々あるのよ、イチゴ、レモン、オレンジ、バナナ、ココナッツとか。品質管理は強制されていないけど、ちゃんとやってるわよ。じゃなきゃ、こんなにお客さんはいないでしょう？　原料も香港の最新基準でチェックしてる。城外の規定をちゃんと守ってるのよ。あるピンクの着色剤に水銀が含まれていることがわかったときには使うのをやめたし。うちの飴には化学物質はまったく入っていないのよ。チェックしてみてよ。保存料も使ってないんだから。

ここは出なくちゃならなくなったけど、できれば別の場所に移っても工場は続けたいと思ってる。ここは費用も少なくて、賃料もいらなかったんだけどね。資本金なんてないし、ここを出たらライバルの工場に勝てなくなるわ。工場をやれるだけの補償がもらえたとしても、学生のバイトを探したり、いろんな費用が高くつく。他が4キロ8ドルか9ドルで売っていたのを、こっちは5ドルで売っていたのよ。儲けを見積もり直すのは難しいわ。生活費が上がる分、値段は高くしないといけないのだろうけど。

他の世界も知っておけ、というのが父のしつけだったから、10年ほど前に1日数時間だけど電気工場でも働いていたの。弟はプラスチック工場で。でも自分たちの工場の方が自由でいい。中学しか出てないし、工場で働くならやっぱりうちの工場しかないわ。

MADE INKOREA
MADE INKOREA
TAIHAN

TROUT

工場は家族皆でやっている。リー・ユー・チュンの夫が機械を扱って、祖母、双子の娘、息子が飴になったものを集める。リー・ユー・チュン（上の写真の黄色いシャツを着た女性）は、包装を監督している。最盛期にはフルタイム従業員が10人、包装のアルバイトは20人もいた。アルバイトのほとんどは近所の子どもたちで、学校帰りに小遣い稼ぎに来ていた。出入りは自由で、包装した個数に応じてバイト料をもらっていた。飴を作るのには近くの井戸水が使われていたが、問題はなかった。かなり高い温度で熱せられるからだろう。

CHINA LIGHT & POWER COMPANY, LIMITED
PRINTED PAPERS
POSTAGE PAID
十月
27
SATURDAY
星期六
初十日

チャン・クォン　ゴルフボール製造

チャン・クォンは26歳で香港にやって来てプラスチック工場を経営していたが、1970年には九龍城でゴルフボール製造業を興した。2年後には城内の大井街（タイ・チャン通り）に移転した。

工場の入り口で話すチャン・クォン（立っている男性）とその友人。左側の金属扉のエキスパンダーに釣り下がっているのは、袋一杯のゴルフボールである。

元々は潮州《チウチャウ》の汕頭《スワトウ》出身。1948年に弟と香港に来たんだ。他の家族は後からね。

私の会社はタイ・クォン・プラスチック工場という名前で、九龍城に1970年に来る前は城南道（サウス・ウォール通り）に場所を借りていた。当時はなんでも作ってたよ。髪留めにおもちゃ、装飾品に造花も。今はゴルフボール一筋だけど。

創業時には5、6人の人を雇ってたんだけど、数年後には機械を入れてオートメーション化した。私は24時間働きっぱなしだったね。内職の女性は30人ほど雇っていたよ。

初めはゴルフボール数百個から始まったんだが、それから数千個になって、今では10,000個以上にもなる。アメリカ、日本、フランスなどに輸出していて、大きな会社とも取引してるんだよ。アメリカのある会社は業界のトップ10に入っているくらい。香港貿易発展局が仲介してくれて、世界各国の会社と提携できるようになったのさ。

ゴルフボールを作るには、経験がものを言うんだ。特定のデザインを指定されることもある。商品の梱包はこっちでやっているけど、出荷は運送会社に任せてる。アメリカの取引先が工場の視察に来たことがあるんだ。1日に10,000個以上も作っているのにえらく感心していたなあ。良い商品を作っていると信頼も得られる。彼らからは出資の申し出もあったんだから。

商売のピークは1970年で、ひと月に300,000ドルくらいの売上があった。2カ月で700,000ドルっていう契約もあったからね。製造費が安くて済むから、価格を抑えられるんだ。女性従業員の給料は、作ったゴルフボールの数で決まる。バケツ1杯が12ダース分で、売値はこれで30ドル。九龍城が取り壊されることになってしまったから、今は前ほどは作っていないよ。

工場が城外にあったときに、事業免許は取っていた。でも九龍城の方が商売はずっとやりやすいよ。労働署の査察も少ないから、自由にできる。従業員に保険をかける必要もないし、休日出勤手当てもいらない。銀行ともうまくやっていたよ。ある程度名が通った会社なら、当座貸越も許されるし、信用状ももらえる。香港貿易発展局の人たちも工場をよく見にきてくれていたよ。

九龍城がなくなったら中国本土の故郷に帰る予定だ。親戚もいるし。でも、香港には時々来ると思うよ。息子と娘は会社を継ぎたくないらしいから、後継ぎはいないんだ。妻もまだ働いているけど、ファッション関係。プラスチック工場には興味がなかったらしい。

ちょうど引退を考えてたんだ。政府の補償額は、この場所に300,000ドル、移転費用に30,000ドル。この電気ケーブルを見てくれよ、これを整えるだけでも30,000ドルはかかったのに。もう67歳だから、廃業を申請しろと言われたんだ。そうするつもりだったのに、また政府は意見を変えてくるみたいだ。

九龍城にある700以上の工場の中では、金属加工工場がかなりの数を占めていた。建物の1階から5階までに多く、それ以上の階ではアクセスしやすさがキーとなっていた。下：機械修理人のユ・クォク・ファイは、狭い作業場の中で鳥を飼っている。

金属加工工場以外では、プラスチック工場も多かった。特にシンプルな鋳型でできる簡単なものや、おもちゃがよく作られていた。こうした工場には引火しやすい化学物質がたくさん保管されているため、火事の恐れがあった。工場に危険が感じられるときには、近隣住人が声を上げていた。工場労働者は城内住人だけでなく、香港の他の地域から通っている人もいた。

ラム・ツェン・ヤット　商店主

1916年に中国で生まれたラム・ツェン・ヤットは、10歳の時に父と4人の兄弟と共に香港にやって来た。1947年には狭いながらも大井街（タイ・チャン通り）の場所を買い、店をオープンさせた。

10歳の時に父と香港にやってきた。ここに住んでからは40年になるかな。最初は九龍城の古い市場の近くに住んでいて、そこで食糧雑貨を売ってたんだ。それから沙埔道（サーポ通り）の新しい市場に移った。戦争で日本軍に占領されるまでね。

戦争が終わってからすぐに九龍城に家を買って、店を始めたんだ。2階建ての石造りの小さな家だったけど、後には7階建てに建て替えられたんだよ。他の人たちと共用だったけど、土地はうちのものだった。

客はピーナツ油、米、タバコ、酒、果物なんかを買っていくね。いろんな客がいるけど、こっちは誰にでも公平だよ。商品を盗まれたことはないし、たかられたこともない。近所はみんな知り合いさ。この大井街は一番賑やかだったんだよ。他では老人街（ロー・ヤン通り）、光明街（クォン・ミン通り）、龍城路（ロン・セン通り）なんかも活気があったな。

うちの店は彌敦道（ネイザン通り）の店と比べても一番はやっていたんだ。夜中でも夜遊びする連中が一杯いて。みんな食べ物が目当てだった。ヘビや犬の肉を食べられる所があったからね。私は食べたことはないよ。店は父と兄弟でやってたんだが、昔は配達のために人を雇っていたこともあった。一時は九龍城でも一番大きな店だったんだよ。

仕入れはまとめてやっていた。ビールなら1フレート（※およそ60×30×30センチの大きさの箱1杯分の量）、米なら50、60袋。ネズミはいたけど、犬と猫を飼っていたからなんとかなっていた。うちの犬はネズミを使えるのがうまいのさ。

店を始めてからは40年、政府へ商業登記をしてからは20年になる。登記すると銀行と取引しやすいから。本当はいらないんだけどね。

取り壊しは本当に問題だよ。政府には、この店の代わりに新しい店を、この家の代わりに新しい家をくれと初めから言ってたんだが、補償は金だと言うんだ。しかもほんの少し。これでどうやって生きていけっていうんだろう？　他で店をやるには少なすぎる。職なしになっちまうよ。店をやる場所をくれないなら、新しく買うだけの額を補償しろってんだ。1,500,000ドルはかかると思うけどさ。

ここ何年かは女房とふたり暮らし。子どもたちはみんな九龍城生まれ。結婚したのもここさ。最初はこの建物の1階と4階に住んでたんだけど、子どもたちが独立してからは売っちまって、今は店に住んでる。兄弟もひとり九龍城に住んでる。12人の子どもも一緒にね。

店がなくなっても、ここには居座るつも

りだよ。210,000ドルの補償なんて絶対に受け取らない。もちろんヤツらは追い出すだろうけど、九龍城を取り壊したからって、住民がいなくなるなんて思ってもらっちゃ困る。お役人には、補償が十分じゃない限り動かないって言ってあるよ。たとえ銃を向けられてもね。

86歳になるユ・ヒン・ワンは、今でも現役でモスリン（※白の薄い平織り綿布）製造をしている。合成繊維が主流になるまでは九龍城でもよく製造されていたのだが、今ではここだけになってしまった。他の工場主と同じく、彼も龍津道（ロン・チュン通り）を仕事場とした。賃料が安く、大きな機械やストック用の布のために広い場所が必要だったからだ。城外でこの商売をするのは難しいと言う。18年間九龍城に住んでいたが、元は広東出身の客家（ハッカ）人で、潮州人が多い九龍城では珍しかった。工場は整然として清潔だったものの、長年やっていると、古い機械から出る騒音や換気の悪さがつらかったらしい。

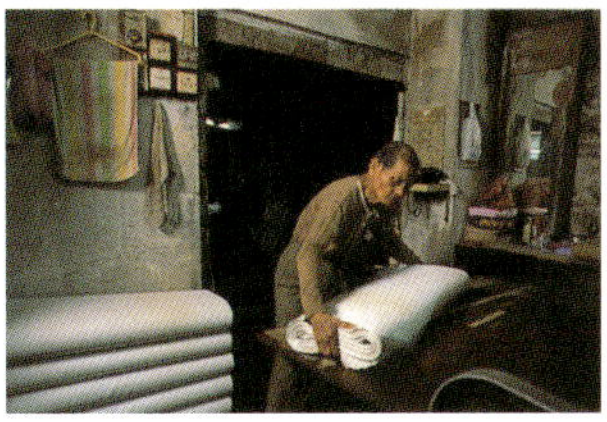

チャウ・サウ・イー　菓子製造

チャウ・サウ・イーは潮州《チウチャウ》で生まれ、6歳で香港にやって来た。1968年14歳で学校を辞めて、父の菓子製造業を手伝い始めた。

うちの最初の店は黄大仙《ウォンタイシン》の東頭村道（トン・タウ・ツェン通り）にあったんだ。でも取り壊しがあって、すぐに出て行かされた。それで、知り合いが九龍城の新しいビルを紹介してくれたんだ。城砦福利会が契約の面倒を見てくれるから心配いらないって言われて。

家族で話し合った結果、営業許可もなくていいことだし、九龍城に行くことに決まってね。その頃は取り壊しなんて聞いたこともなかったよ。

城砦福利会が売買契約書を用意してくれて、手数料に200ドル支払って、中国式の契約書のコピーをもらった。元の持ち主はラーメン屋をしようと思ってたらしくて、電気や水道もちゃんとついていた。だから、それらの設備ごと買い受けたんだ。

電気は電力会社から来ていた。ここは新しかったから、配線もちゃんとしていて、供給も安定していた。九龍城のどこでもそうだったわけではないんだよ。配線がいい加減で、供給が安定していない所も多いんだから。

菓子を作るのにも、自分たちが飲むのにも井戸水を使っているよ。九龍城には井戸がいくつかあって、うちにはそこから水が引かれてた。井戸水の塩辛さが嫌な人は、飲料用には近くの公共水道まで汲みに行ったりしていた。うちの水道料は毎月固定で100ドル。いくら使っても同じさ。住居よりは店舗の方が使用量が少ないと見積もられているらしいね。

菓子は何種類も作っているよ。材料はいろんな所から輸入してる。小麦粉はアメリカから、もち米粉はタイから、グルタミン酸塩はオランダから、砂糖は韓国から。他にも似たような店はあるけど、菓子の種類がこんなにあるのはうちだけさ。ほとんどは蒸して作っているけど、焼いているのもある。1日に作るのは数百個だけど、お祭りの時期はもっと多いね。

小売店にも卸しているよ。なにかがあるときにはお寺にも。お寺からよく注文されるのは正月用の菓子と、もち米のお団子。菓子を切るときは糸を使うんだ。ナイフじゃない。お寺で法事なんかがあるときには、7日前には注文をもらっている。神様の誕生祭では数日前。こういうときは徹夜続きになるね。正月にかけては何日か不眠不休さ。ラーメン屋とか、潮州の食べ物を売っている店でもうちの菓子を置いてくれているよ。九龍城は3分の1が潮州出身者。城外の潮州人も買いに来てくれてるね。

着色料を使っているものもあるんだけど、政府が出してる基準っていうのは知らないんだ。仕入先が食べても大丈夫だっていうから、ほんの少しだけ使っている。菓子は米みたいに毎日食べるもんじゃないし、体

西城路（サイ・シン通り）を北西に進んだ角にある、ジェトリー・チャウの菓子店にはいささか場違いな観光客もやって来る。1987年に取り壊しが発表されてからは、九龍城を巡るツアーも多かった。潮州の伝統を引き継いだ菓子はほとんど米粉がベースで、もちもちとした食感がある。

に害はないんじゃないかな。誰からも苦情は来ていないし。1日、2日置きっぱなしにしてると、色が変わる。そうなったら捨てているよ。

忙しいときには潮州人のおばさんたちに手伝いに来てもらっている。日雇いでね。今くらいの商売ならなんとかやっていける。宣伝なんかはしていないよ。営業許可を取ろうと思ったこともあるんだけど、結局やめちまった。税金がかかっちゃうからね。

九龍城にいても、困った目に遭ったことはないよ。恐いヤツらに言いがかりをつけられたこともないし、犯罪も見たことない。城内をくまなく歩き回ってたわけじゃないけどさ。警官がパトロール中に密入国者を見つけて追い出していたのは見たことがある。泥棒はいたんだろうけど、そんなの城外にもいるだろう？　九龍城が特別ひどいってことはないよ。少なくとも私たちには問題はなかったね。

でも衛生状態は悪いなあ。うちの店にもネズミがいて、小麦粉を食い散らかしてる。アリもゴキブリも。九龍城の奥の方は、ゴムホースと電気の配線でぐちゃぐちゃなんだよ。この店のある西城路（サイ・シン通り）は綺麗な方だ。他の通りはひどいんだから。

九龍城の取り壊しは一大事だ。1997年（※香港返還の年）よりずっとね。他の場所で別の商売を始めるのは大変だろう。黄大仙の店の取り壊しのときも大損だったし。今と同じような店をやるには場所を買うか借りるかしなくちゃいけないけど、それが悩みの種だよ。でもこれからも菓子は作っていきたい。他にやれることもないんだしね。

香港の低所得層家庭では、両親ともにフルタイムで働いていていて、日中や放課後は祖母が孫の面倒を見ることも多い。ラウ夫人（右ページ）は、毎日孫たちを学校から自分のアパートに連れて行く。彼らは彼女のベッドで宿題をしたりしている。両親は仕事帰りに立ち寄って、子どもたちを連れて帰る。九龍城は仲間意識が強かったので、ひとりの祖母や家政婦が近所の子どもたちをまとめて預かることもあった。階段や踊り場は子どもの遊び場だったが、最近では自分たちのいない所では遊ばせない親も増えてきた。

中央に見える歯医者の看板。今は錆付いてしまっている。

深呼吸をしたり、洗濯を干したり。植物や鳥かごや景色を楽しむための椅子もある。この無茶苦茶に取り付けられたバルコニーは、香港チャイニーズのパワーを象徴していた。住人の間では、愛称があった。たとえば「恋人同士の建物」と言えば互いに傾き合っている建物のことで、「悪魔の楽園」は老人センターになった城内中心部の空き地のことであった。

城内の他の歯科医と同様、ウォン・ユー・ミンの主な仕事は入れ歯の作成と手直しだった。城外の正規医から依頼を受けることもある。右ページ端：彼は資格を持った漢方医でもある。

ウォン・ユー・ミン　歯科医師

1930年生まれのウォン・ユー・ミンは、1950年代の終わりに、妻と子どもたちと共に香港へやって来た。その数カ月後には龍城路（ロン・セン通り）で歯科クリニックを開業した。

医学を学んだのは中国で。歯科医と漢方医になる指導は父から受けた。父も歯科医だった。もちろん自分で独学もした。

子どもが生まれて潮州《チウチャウ》から香港に来た。共産党にあらぬ疑いをかけられてね。いつだったか忘れてしまったけど。最初は独りで来て、香港島で働いていた。北京語と客《ハッ》家《カ》語が少ししか話せなかったから、人と話すのが大変だった。誰も私が言っていることをわかってくれない。知り合いもいなかったので、商売を始めようにも無理だった。最初の年は、便所にこもって泣いていたことも多かったね。

数カ月たってから、九龍城に来た。この場所を借りることにして、翌年には買い取った。それから30年近くここにいる。悪い噂は聞いていたが、独りのときはなんともなかった。妻と子どもたちが来てからは、心配で色々気をつけていたけど。誰にも迷惑は掛けないから、誰も迷惑をかけないでくれと思っていたよ。

クリニックはうまくいっていた。助手を3人雇っていたが、いつも患者でいっぱいだった。年をとってくると仕事がつらくなってきた。助手もみんな辞めてしまった。ここでは歯を抜いたり、詰め物をしたり、入れ歯を作ったりくらいしかしてこなかった。患者のほとんどは城外から。しゃべらない患者はいいんだが、しゃべり過ぎる患者は追い出してた。最近では昔からの患者と、

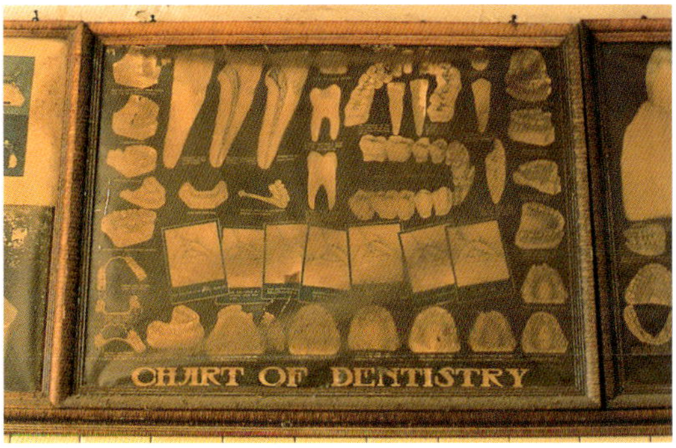

その紹介で来る人しか診ていない。良い腕があれば、患者には信用される。医師免許かどうかなんてことは、彼らには関係ない。歯医者は高くつくことも多いが、私はそんなことはしなかったしね。

24時間ずっとここにいる。城内の他の歯科医とはほとんど話さない。近所の人とも。香港に7人の子どもがいて、妻と住んでいる。妻は時間があるときにはここに来るが、そっちに戻る。子どもたちは妻に金を渡しているみたいだが、私にはまったくだ。もちろん私も、妻に1セントたりとも求めたことはないがね。

ここの契約書には妻の名前も載っているから、政府からの補償額は妻にも権利がある。私は気にしていないが。妻は息子たちが将来留学できるように、金を貯めているらしい。私は金には無頓着だ。すべて妻に任せている。

九龍城が取り壊されたら、金があればなにか商売を始めるかもしれないが、なかったらやらない。家も買う予定はない。生きてはいけるだろう。あまり食べないから、少し金があれば数年は生きられるはず。ギャンブルも麻薬もやらないから。

最近の若い輩の考えてることはさっぱりわからない。息子は私とほとんど口をきかないし、私も子どもたちとはあまり話さない。昔、父と話すことがなかったのと同じだ。妻はおしゃべり好きだが、電話をもらっても話すことがないときには切ってしまうね。

妻と子どもたちが住んでいる所には行ったことがないから、九龍城が取り壊されて

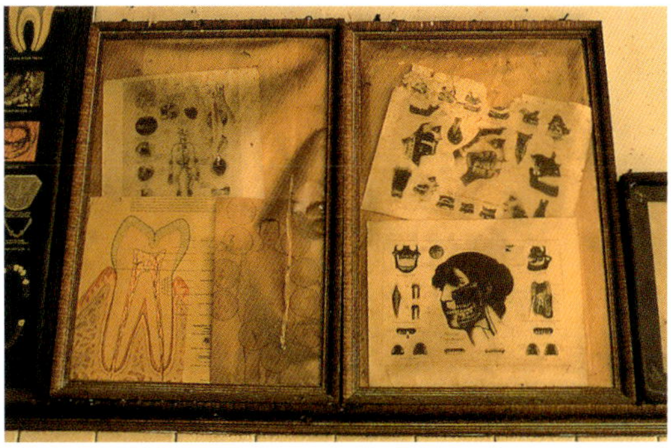

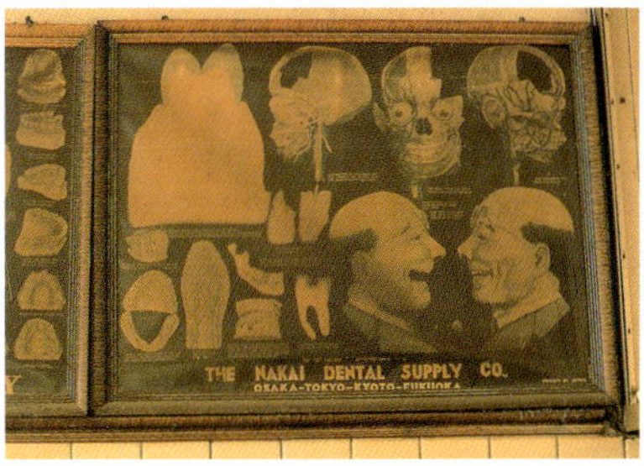

もそこに住めるかはわからない。家が必要になると補償金が減ってしまうので、妻と息子の取り分が少なくなってしまう。取り壊しは九龍城に住む全員に関わる問題のはずなのに、発言権はまったくない。昔の中国と同じだ。政府の補償額に納得のいっていない人もいるが、どうすることもできない。こっちが反対しても、なにも変えることはできないんだ。

政府はここに来て、広さなんかを測って補償額を決めた。話し合いをする余地はない。補償額が百万ドルにもなると言っている人がいるが、それは嘘だろう。私は補償金は3等分するつもりだ。私と、妻と、息子で。

無認可の歯科医はボロ儲けだと思っている人が多いようだ。息子もそうで、私が金を貯めこんでいると思っているみたいだが、そんなことはない。確かに、金を貯めてクリニックを新しくしている人もいるが、そんな余裕はないのもいる。私みたいに。私は子どもの教育に金がかかり過ぎた。子どもが多かったから、一生懸命働くしかなかった。

若いときには先のことはなにも考えず、その日暮らしだった。でも今は不安がある。この何年かは特にそうだ。家族と離れて暮らしているから、寂しさも募るのさ。

政府の言うことはなんでも受け入れるつもりだ。これから先、どんな商売ができるかなんて分からない。これまで一日中ここを出ることがなかったから、外の世界のことなんてわからないんだよ。

助手を務めるチェン・メイは夫のウォン・ユー・ミンから指導を受けた。九龍城の最盛期には、無免許の歯科医は150人ほどいたが、1987年には86人にまで減った。彼らのほとんどは、歯の洗浄、ちょっとした詰め物、入れ歯の作成などの基本医療しか行なっていない。もっと複雑な治療が必要なときには、正規医を紹介していた。一線を越えた治療をする医師もいたが、歯茎から大出血を起こすような重症患者はほとんどいなかった。

警察の巡回

数年にわたって九龍城を警備していたある警察官は、インタビューには応じたものの匿名を希望した。写真は九龍城での警官の活動を撮影したもので、本文や彼とは関係ない。

警官になったのは7年前。最初の担当は大角咀《タイコクツイ》で、それから「ブルー・ベレー」と呼ばれる機動隊員になって九龍地区を回るようになった。

九龍城は、昔は機動部隊、今は専門部隊が管轄している。ここはなにかとややこしい場所だ。政府が介入し出したのは60年代の後半から。その頃、泥棒で指名手配されていたある男が九龍城で捕まった。裁判官は、香港政庁が中国政府の代わりに九龍城を管理するので、九龍城でも香港の法律が適用されるという判決を下した（これより以前では、九龍城の住民はここを中国だとして処罰を免除されていた）。

九龍城の担当になったのは1985年。それ

から5年間警備を続けた。場所柄にはすぐに慣れた。私は年をくっているから、ここの住人みたいな連中とも付き合いがあったし。警備のやり方は他の場所と変わらないが、ふたり以上で組んで行くのと、地域司令部から状況報告書が来るのが特徴だった。今は違う。ひとりで行っても大丈夫になった。1985年に隣接する西頭村《サイタウツェン》地域が取り壊されてからは、九龍城担当者は6人になった。2人1組で3つの巡回区域を回る。巡回に行くと、11のチェックポイントで報告書にサインをしなくちゃならなかった。城外の区域だと2、3で済むんだけど。九龍城を警備するのは、潮州《チウチャウ》人が一番だと思う。潮州人のことを一番理解できるのが潮州人だろうから。

西頭村がなくなってからは九龍城への抜け道がなくなってしまったので、自分たちで道を見つけ出した。大雨が降ると低地にある康楽街（ホン・ロク通り）はいつも洪水みたいになっていた。胸まで水につかっていたおばあさんを助けたこともあるんだよ！

担当になったばかりの頃の九龍城は賑やかだった。今は静かになってしまったけど！　通りでは売春婦が客引きをしていた。縄張りがあったみたいだね。ほんの子どももいたよ。今はいないけど。ここでは本当に色々なことがあったから、すべてが明るみになってはいないんだ。例えば、同僚が中国から爆弾を持ち込んだ一味を逮捕したことがあるんだけど、きっと誰も知らないと思うよ！

九龍城は他の地域と大きくは変わらない。むしろ、より穏やかで、あか抜けているところもあった。ここの特徴は、建物の屋上同士がつながっているから、そこを「飛び歩く」ことができること！　車泥棒は他より少ないけど、普通の泥棒は多かったね。危険な一帯は把握していたから、そこは念入りにパトロールしていた。泥棒の件数は今でも多い。一番多い時間帯は午後3時から11時まで。この間でだいたい3、4件は発生している。

一時期は麻薬も多かった。売る方も作る方も。通りでよく売られていた。今でも多少は取引されているとふんでるだが、警官とはいえ私有地には勝手に踏み込めない。だから麻薬取締局に連絡して、捜査は任せているよ。

昔は住人と警官は仲が良かったけど、最近の若い警官はそうでもないみたいだ。九龍城で最もパワフルなのは潮州人だ。特徴的なのがチャン・サップという男。新義安《サンイーオン》という秘密結社の兄貴（ビッグ・ブラザー）だった。最近死んだんだが、実に多くの抗争に関わっていた。私は彼には一目置いていた。仲間や知り合いにはとても義理堅かったんだよ。

なにから手をつけたらいいかはビッグ・ブラザーに教えてもらっていたんだ。随分と助けてもらったよ。悪い連中と知り合いになったおかげで解決した事件もたくさんある。こっちが城内に行かないでも、事が済むことだってあった。例えば、麻薬の捜査。内部の人間に頼んでおけば、あとは捕まえるだけ。もちろんうまくいかないこともあったよ。城外では当たり前のことでも、ここでは通用しないからね。

九龍城で活動していた秘密結社は、新義安とか14K（サップセイケイ）とか。一部の警官が買収されていたというのは事実。でも、汚職取締署が結成されてからは、ほとんどなくなった。今でも少しは残っているのかもしれない。証拠はないけれど。

城内の工場では、密入国者がたくさん働いていた。犯罪者と同じで、彼らも九龍城は中国の領土だとして逮捕を免れていた。だが、工場主が警察に通告してきたこともある。そうすると給料を支払わなくて済むから……まあ、人間なんてそういうもんさ！

不法ではない居住者は、警察を尊敬してくれていた。今ではちょっと厄介になってきて、彼らは自分たちの方が警察より上だと思っているフシがある。警察に協力するなんて絶対に言ってくれないだろうね！現在の九龍城住人の大半は、こうした居住者たちだ。

警察による普段のパトロールの様子。九龍城の最後の10年間では、大きな犯罪は香港の他地域に比べて少なく、よくあったのは泥棒と麻薬所持であった。あまり知られてはいないが、九龍城での警察のパトロールは1961年から行なわれていた。しかし「悪の巣窟」と称されていた犯罪を減らすほどの効果はなかった。1975年に汚職取締署ができるまでは、一部警官も買収されていた。

城砦福利会のチャン氏とは友達だ。色々な情報を教えてくれるから、ありがたいよ！　城砦福利会は争いの仲裁や人々をまとめるのが主な仕事だった。今は取り壊しのことでてんてこ舞いらしいけど。

取り壊しにあたって住人と家をすべて登録するのに、政府は36時間かかった。発表の日の夕方にはトラックが何台も来て、家具なんかを九龍城に運び入れていた。補償目的の人が集まってきたんだ。ずっと九龍城に住んでいたって証明してくれって、警官に金を渡そうとする人もいたんだよ。

九龍城での仕事が楽しかったかって?　楽しかったかな。他の場所ではできない経験だったから。住民とも仲は良かったし、一緒に麻雀なんかもしたもんさ。

麻薬中毒者は九龍城の最後までわずかに残っていたものの、ここ数十年は香港の他地域と比べてもひどい状態ではなかった。麻薬、売春宿、賭博場で有名だったのは1950、60年代で、この20年間はかなりひどく、雑誌「九十年代」はその状態をこう記した。「最盛期には、賭博場27軒、アヘン窟19カ所、ヘロイン窟17カ所、売春宿30軒以上、酒の密輸入業者3軒、盗品を扱う業者3軒、無認可の麻雀荘15軒、犬肉店20軒、ポルノ映画館5館、ヤミ金融業者4軒、麻薬製造工場4軒があった」。これらのうちで取り壊し時にその名残を見せていたのは、龍城路（ロン・セン通り）の老けた売春婦たちだけである。1回の料金は50ドルから100ドルだった。

ピーター・チャン　元ヘロイン中毒者

ピーター・チャンは10代で秘密結社14K（サップセイケイ）に入った。恵まれない幼少期を送ったため、その方がまともな生活を送られると考えてのことだった。

14K は19世紀後半に広州《グワンチョウ》の宝華路（ポー・ワー通り）14番地で結成されたのが、その名の由来である。元々は清朝の支配に抵抗した国民党系の集団だったが、資金集めのために様々な悪事に手を染めた。

チャンは1960年に17歳でメンバーとなり、やがて主力メンバーとなった。その後は九龍城の他、黄大仙《ウォンタイシン》、旺角《モンコック》などで、麻薬取引、強盗、抗争などに関わってきた。1965年に強盗で2週間投獄され、1968年、1970年にも拘置された。その頃には秘密結社の活動には嫌気が差していたが、ヘロインなどの中毒になっていたため、抜け出すことができずにいた。足を洗って神職についた元メンバーに説得され、1974年に聖スティーブン協会の運営する麻薬中毒者のリハビリセンターへ行くことになった。

以来19年間、チャンはソーシャル・ワーカーとして熱心に活動し、麻薬中毒者や秘密結社メンバーの更正に尽力した。1987年には香港政庁からその活動を表彰され、賞を受けた。

この辺には麻薬をやっている人間が何百人と転がっていたよ。毎日何人もが死んで、道端に投げ捨てられた死体は市政総署が回収していた。健全だった学生が死んでいくのも随分見た。本当に多かったね。

ネズミも麻薬中毒になった。クスリを求めて身をよじりながら転がっていた。犬も中毒になったし、ペットのサルにクスリの味を覚えさせて、盗ませに行く人さえいた。

警察が九龍城でパトロールを始めたのは1970年になってからだった。それまではここへ逃げ込むと、警察はなにもできないという状態だった。初めて来たときには7人で、警部がひとり、巡査部長がひとり、ただの巡査が5人だけ。秘密結社は警察に賄賂を払って、ヘロインのある場所には来ないようにさせていたんだ。そこに踏み込まれたときには抵抗したよ。こん棒で殴られるくらいで、流血騒ぎにはならず、病院に行くこともなかったけど。

当時、金に困ったときには、車上荒らしをしたり、道行く人を襲ったりしていた。大それたことはしていなかった。城外で盗みをすると、慌てて城内に逃げ帰っていたよ。

私は色々な名前で通っていた。チャン・パク・キョンに、チャン・ワーに、チャン・イー・ワーに、ヘロイン・ワー。14K以外の秘密結社には、四大《セイダイ》を始め、和記《ウォーケイ》、潮《チウ》幇《ボン》（新義安などの潮州系組織）があった。私は14Kの麻薬取引場所を仕切っていた。狭くて18平方メートルほどしかないんだが、いつも何十人という中毒者がタムロしていた。もう何年も前の話で、立ち直って生き延びている人間がほとんどだが、友人のチェン・チャイなんかはまだ止められずにいる。

この狭い道は、地下道みたいになって九龍城の真ん中に通じている。昔は賭博場や麻雀荘がいっぱいで、犬肉を売る店も多かった。今でも、犬肉の店は少し残っている。ちょうどここにはストリップ小屋があって、売春婦の控え場所や賭博場になっていた。上の階では、麻薬漬けになったり、売られてきて外出を許されていなかった少女たちが隠し込まれていたりもしたよ。

1960年代、ヘロイン中毒者は光明街（クォン・ミン通り）に集中していた。当時その一帯は、中毒者が吸うヘロインの煙が立ち込め、木造小屋が建ち並び電台街（ディントイガイ）と呼ばれていた。安くて手に入りやすいので、ヘロインは今でも香港の労働者層の間で使われている。若い世代では、吸引するより注射器を使用する方が好まれている。

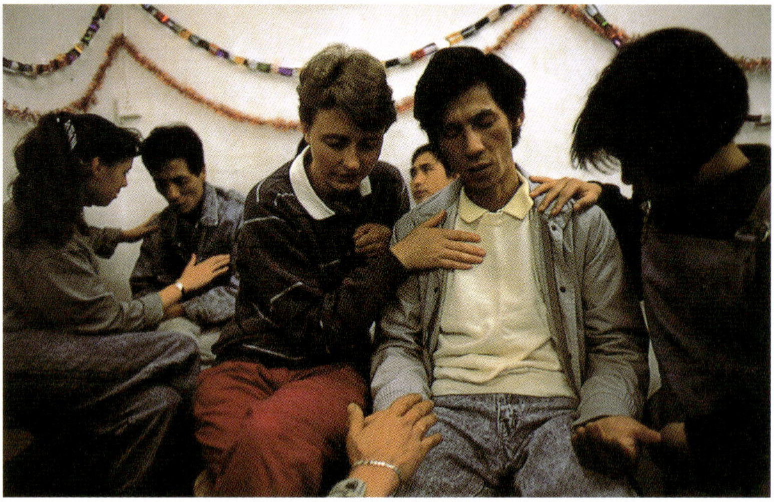

ジャッキー・プリンガー　宣教師

ジャッキー・プリンガーが1973年に設立した礼拝所では、ハンド・ヒーリング、賛美歌斉唱、神への懺悔などが毎日行なわれていた。

聖スティーブン協会を元とするこの福音主義の団体は、麻薬中毒者の更正のために結成された。有志メンバーによって作られたプログラムであったが、政府が運営する他のセンターよりも大きな実績があった。外国人宣教師の中でジャッキー・プリンガーは抜群の知名度を誇り、また最も親しまれ頼りにされていた。もちろんそこに至るのは容易ではなく、中毒者と秘密結社の両方から信頼を得るのには時間を要した。悪習から立ち直ろうとしていた秘密結社メンバーに目をつけ、活動に取り込んだのが正解だった。ピーター・チャンのように、更正後は昔の関係を一切立ち切った優秀な人

物もいる。地元の人や駐在外国人のボランティアが活動を支え、数年間滞在していく人も多かった。

九龍城での布教活動は50年代後半から60年代前半にかけてさかんに行なわれた。1959年に児童保護センターを設立したクラーク女史や、神職者夫人であったドニソーン女史も有名である。プリンガーの業績によって影が薄れてはいるものの、九龍城には韓国人ひとり、イタリア人ふたりの計3人の修道女が最後まで龍津道（ロン・チュン通り）に住み続け、老人の面倒などを見ていた。取り壊しの告知直後に、プリンガーは旺角《モンコック》に移り、同様のセンターを設立した。

新龍都
理髮公司
雄偉進牙科
龍門診所
崇安診所

東頭村道（トン・タウ・ツェン通り）の夕暮れ（左）と、屋根の高さから見た夜景（右）。「スラム」という一言で片付けてられてしまう九龍城であるが、完全たる機能を持ったコミュニティでもあり、商店、工場、水道業者、福祉団体、幼稚園、医師、歯医者などがそれを支えていた。高圧的でない、自分たちで生み出したルールに基づいて運営されていたが、その側面が語られることはほとんどない。一般的なイメージは “City of Darkness” であったが、それは1970年代までの姿である。

チャン・ヒップ・ピン

城砦福利会幹部

九龍城寨街坊福利事業促進委員会（城砦福利会）は、1963年5月1日に九龍城住民の相互努力による生活環境の向上を目指して設立された。この場所は結成当初に会で購入した。当時の私は下働きで、お茶汲みや受付などの雑務をしていた。

それより以前から、九龍城内では通りを越えた連携があり、1940年代には時報の警鐘などと火災予防を目的とした団体があった。色々な地域をまたいで共催される祭りもあった。

城砦福利会の当初の目的は衛生面の改善と火災と泥棒の防止で、消火装置も設置していた。時報チームによる警鐘は、1960年代になって多くの家庭が時計を持ち始めてからは、防犯の意味合いが強くなっていた。有志メンバーで夜の11時から夜明けまで、泥棒と火事を見つけるために活動し、70年代になるまで続いた。

昔の九龍城は2階建て、3階建ての建物がほとんどだったが、人口が増えるにつれて高いビルが立ち並び、衛生と火事の問題はより深刻になった。と同時に城砦福利会の仕事も増えた。ここ20年は、通りや排水溝の清掃、ゴミの撤去とメインストリートの整備に力を入れている。1970年以降は街路表示と街灯を設置した。今では24時間点灯するが街灯が200以上あるが、それらの費用はすべて会が負担している。

最近はお年寄りのため行事も多く主催している。九龍城住人の約3分の1は、60歳以上の独り暮らしで貧しい老人だ。未婚の元家政婦が多く、病気になったときなどに困らないように何人かで集まって九龍城の部屋を購入している。仕事を引退して、一日中家で過ごしている人がほとんどだ。

1987年の60歳以上を対象とした香港仔《アバディーン》へのツアーでは、バス3台の予定が10台になる大所帯だった。90歳を越えた人も10人以上いた。去年の旧正月には、400人以上のお年寄りを招いて敬老パーティーを開催した。

その他にも家族向けのレクリエーションや、若者対象のパーティー、夕食会、中国本土へのツアーなども行なっている。もちろん日々の仕事は別にあり、住民同士のトラブルの仲裁役をすることもある。この人

もはや九龍城の住人ではないが、チャン・ヒップ・ピンは1966年以来続けている城砦福利会の幹部として地域問題に携わり続けている。

口とこの建物だから問題も多いが、平和に暮らし、気持ちよく働きたいという気持ちは皆同じのはずだ。

九龍城の治安は、世間の評判ほどには悪くない。それどころか、十分に良いともいえる。1950年代には、ポルノ、賭博、麻薬という3大悪事があったが、これは住人ではなく城外の人間が持ち込んだものだ。九龍城が上からの管轄を受けていなかったからだが、ここだけでなく、香港中で行なわれていたことである。

1950年代になると警察が城内の警備を始め、1960年代になるまでには麻薬と賭博は一掃された。警察が特別捜査しか行なわなかったのか、パトロールを日課にしていたのかはわからない。もちろん今は、警官の姿もよく見かける。

昔は城砦福利会と警察はあまり関わりがなかったが、今では特に防犯などで協力している。我々が行なう通りの整備などについても、警察には報告をしている。警察が発表している数字上は、大きな犯罪については九龍城での発生件数は他の地域よりも少ない。だが、泥棒などの犯罪は依然として多い。建物同上が密接しているのがひとつの原因だろう。

ここ数年は区議会との提携もさかんだ。環境問題の面で、通りの整備や街灯の導入に協力を得ている。市政総署とも連携し、旧正月の間にゴミを一掃処分している。九龍城の建物でエレベーターがあるのは2カ所だけでなので、あらゆる住居や工場からゴミを集めて回るのは至難の業だ。通りの状態も悪く、人員も確保できない。住民には出かける前にゴミを回収場所に出すように呼びかけているが、これもかなり非現実的であるし、住民にその責任を負わすわけにもいかない。

ゴミの回収についてのポスターなどを貼り、住民に環境美化の意識を持たせるのも我々の仕事だ。火事についても啓蒙活動をしている。ここでは一般家庭でも高圧プロパンガスを使用しているから、一家にひとつ爆弾があるようなものだ。爆発すると壊滅的な被害が出るこので、注意を促している。

九龍城には歯医者が非常に多く、会ではその活動も支援している。ほとんどの医師は基本技術を修得しているものの、医療サービス進歩は早いので、それに追いつくためのセミナーや設備の展示のために事務所を提供しているのだ。こうすることで、医師は腕を上げることができ、サービスの向上が可能になる。

城砦福利会には会長が1名の他、執行委員、常任委員がいて、執行委員は3年ごとに2名が選出される。常勤職員が数名いて日常業務を担当しているが、他はボランティアだ。

1968年から79年には城内で学校を運営し、1,000人以上の生徒がいた時期もある。生徒は城内や学校の少ない他の地域から通っていたが、政府が9年間の義務教育と授業料の無料化を実施すると、その数は落ち込んだ。出生率が下がったことなども影響し、結局は閉鎖した。

1960年代にも政府は九龍城の取り壊しを計画していた。公式に発表はせず、役人が真夜中に確認のために各家庭を訪れただけで補償もなかったため、住民は強く反発し「立ち退きに反対する会」が結成された。現在の取り壊しプロジェクトは、このときとは性質が異なっているので、住民の反応もまったく違っている。

九龍城に独特の歴史的背景があるのは周知の通りだ。取り壊しについては、きちんと補償されれば誰にとっても良い話になると考え、我々は慎重に対応している。メンバー同士や住人を交えての意見交換も行なってきた。住民の要望を汲み上げて、政府には伝えてある。政府と住人との橋渡しで、補償については何度となく交渉の場を持ってきた。唯一の解決策は、お互いの立場を理解し合うことしかないだろう。

住民の反応は初めもっと感情的だった。多くの人はここにもう少し住みたいと思っていた。自分たちのアパートを改装するために、買った以上の金をつぎ込んだのに、取り壊されては金も労力も水の泡だからだ。問い合わせの文書がたくさん届いた他、3,000人もの住民が相談にやって来た。ピーク時には1日9回も会議を行なったくらいだ。

会としては、取り壊しに特別の考えはない。生活が良くなり、補償がちゃんと受けられれば、決して悪くはない話だろう。取り壊しはもう避けられない。中国政府も以前から了承している。我々にできるのは、十分な補償を得るため、そして住民の権利を守るためにベストを尽くすことだけだ。

我々は、悪い結果にならないように客観的な目で事態を見守らなければならなかっ

城砦福利会の事務所は東頭村道（トン・タウ・ツェン通り）16番地のビル4階にある。平日の朝から夕方まで2人の職員が常駐して、住人からの相談を受けている。少し広めの別室は、お年寄りのクリスマスパーティーなどの行事で使用している。

た。一部の住人は、会が強く反対しないのを不満に思っていたようだが、多くの人はこの姿勢に賛同してくれたため、事はスムーズに運んでいる。もちろん、完了するまで油断はできない。

城外の人が補償額が高過ぎると言っていることについては、異義を唱えたい。住民にとってはそれでも十分ではない。ここよりは良い生活が送られるように算出されているというが、将来的には生活費はどんどん高くなっていく。多くの人が住んでいるのは18平方メートルほどの小さな部屋だが、これに対する補償額は移転費用と合わせて約200,000ドルだ。これでは新界（ニュー・テリトリー）の住宅街に新しい部屋を買うことしかできない。九龍城住人の多くは都心で働いており、ここに留まりたいという意向が強い。将軍澳《ジャンクベイ》のアパートに移れたとしても、改築、引越し、家財道具などにもお金がかかってしまう。

将来に不安を訴える住民がいると、我々は政府と交渉し、社会福祉課などになんとかしてもらえないか相談している。個人個人の希望に添えるように努力はしているが、補償額を増やしてもらうのはなかなか難しい。

我々は取り壊し後でも、この活動を続けていくつもりである。ここで長年活動し、メンバー同士もよく知っており、住民ともうまくいっている。批判、賞賛、両方の声があるのは事実だが、ほとんどの住民には、特に取り壊し問題については満足してもらっている。行動指針を明確にし、時間や努力は無駄にしていない。

通告直後に、一部住民から九龍城をどこかへ移すという案が出されたのだが、その中には城砦福利会の事務所も含まれていた。実現の可能性があるかないかは別としても、住人の会への関心の強さと親近感が表れているといえるだろう。昨年、会の将来を考えるセミナーを催した。3分の2の人が存続を望んだため、我々は「継続委員会」を発足し、政府に組織新設を申し込んだ。

この組織の仮名称は「九龍城砦各界居民権益連誼会」という。活動内容はまだ決定していないが、住人の新しい生活環境への適応法、お年寄りと経済的に恵まれない人への対応法などを検討している。

九龍城は農村のようなコミュニティだ。住人には、彼らの心配を受け止め、新しい生活を応援する我々の存在を心に留めておいて欲しい。各地に分かれて生活するようになると関係を保つのは難しいかもしれないが、できるだけ多くのお年寄りと連絡が取れるように事務所の場所を選ぶつもりだ。

将来的には、他の地域でもこうした奉仕活動をしたいと考えている。新しい事務所はまだみつかっていない。現時点では、取り壊しという直近の問題と、会のこれからという将来の問題に取り組んでいくのみである。

楊永光牙科
楊永光
牙科
許熾昌牙科
許熾昌牙科
楊泰昌士多
萬國診所
西醫 梅立康 主持
內兒 外科 X光化驗
皮膚 毒症 花柳 白濁
18號二樓
蕭美美婦科
18號二樓
廣東醫學化驗中心
中華牙科診所
西醫陳詠蘭
昌
牙科
SHOES
洲皮鞋
松發冰室
粵
西

夜の東頭村道（トン・タウ・ツェン通り）。歯医者や医者の看板が照らし出されている。九龍城は恐ろしいイメージが先行してしまっているものの、1960年頃でも住人にとっては安心感のある守られたコミュニティーであった。ある住人はこう語る。「通りではビー玉で遊んだ。屋根にもよく登った。屋根から屋根に飛び移りながら、町の様子を見るのさ。もちろん、麻薬中毒者のことも覚えている。あちこちに溜まり場があったから、好奇心でよく覗きに行っていたよ」。

かつては繁華街であった薄暗い大井街（タイ・チャン通り）に面したホー・チ・カムの理容店は、狭いながらも繁盛していた。客のほとんどは地元の人間で、カットとシャンプーの安さから行列ができることもあった。

ホー・チ・カム　理容師

九龍城には長年住んでいたにも関わらず、ホー・チ・カムが大井街（タイ・チャン通り）10番地の床屋を始めたのは、1985年のことだった。取り壊しには不満を持っており、インタビューにも長くは応じてくれなかった。

1974年「成報《センバオ》」の広告を見て、九龍城に家を買った。端っこの東頭村道（トン・タウ・ツェン通り）側だったから、九龍城の中に入ることはほとんどなかった。この店をやり始めてからは毎日来てるけど。

それまでも床屋だった。ここは友人の店だったんだが、やめるっていうんで譲ってもらった。借金はしたが、5年たった今はもうない。九龍城の床屋はここしかない。客は近所の人たちだ。

昔は人がたくさんいたけど、客が100人来たって大丈夫だった。値段は勝手に決めているが、城外よりは安い。女房とふたりでやっているが、実に忙しいよ。9時には店を開けて、閉めるのは客がいなくなってから。適当さ。なんでも商品と引き換えの現金払いだから、業者ともめたこともないね。

九龍城が取り壊しになるから、別の所で仕事を始めたんで、ここに来るのはそっちが休みの水曜だけ。もちろん、取り壊しには納得してない。床屋をやっていても金持ちにはならなかったけど、食うには困らなかった。今は雇われの身だから、稼ぎの30%しか自分に残らない。300ドル稼いでも90ドル。ここでは、やったらやっただけ儲かったのにさ。

でも、仕方ない。なんと言おうと追い出されちまうんだから。城外で店をやればいいんだが、それも無理。賃料が払えないよ。

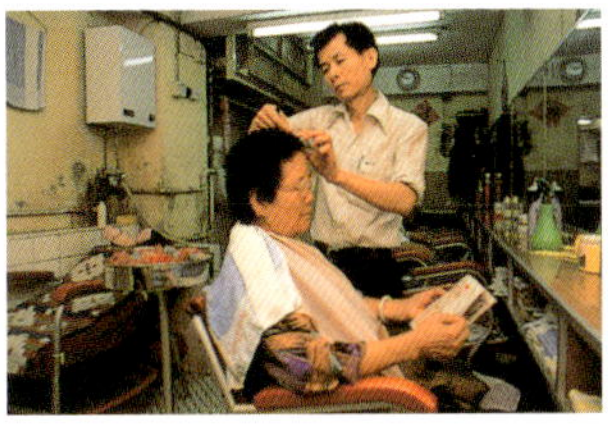

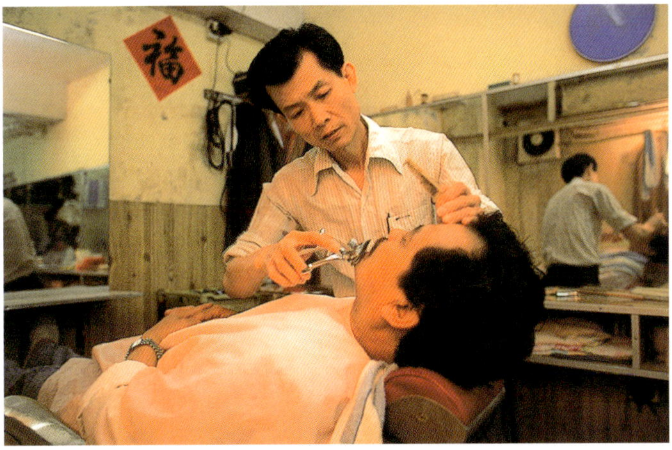

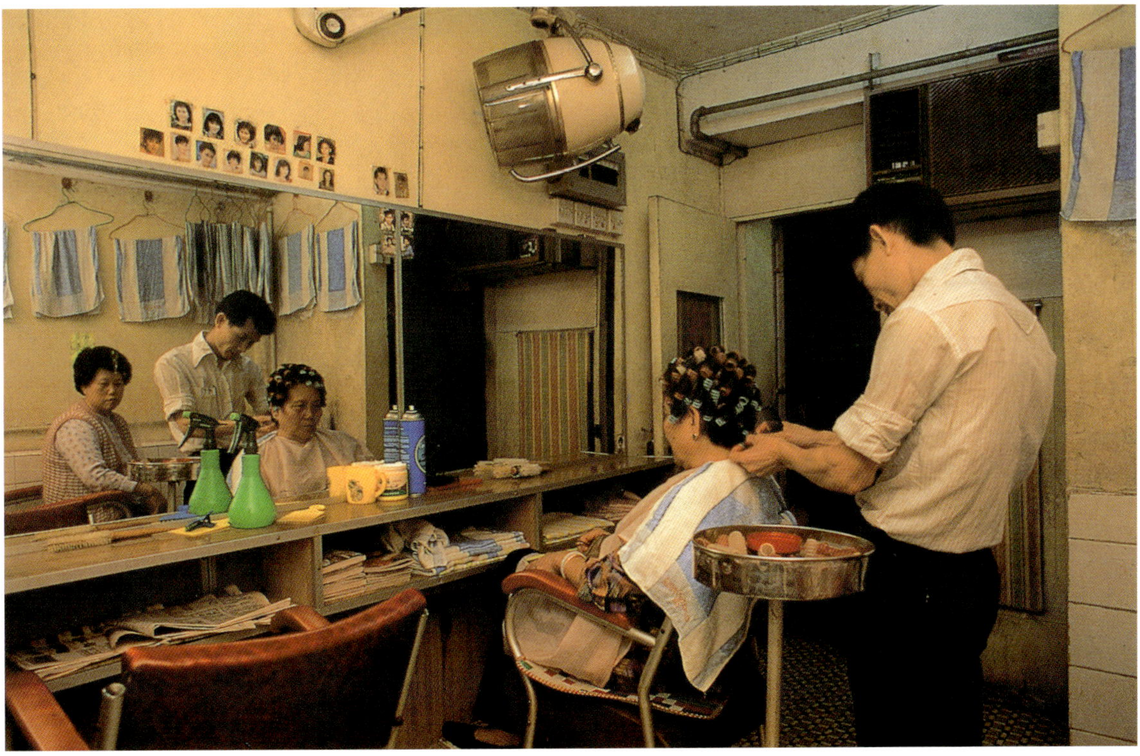

九龍城内の製麺工場のほとんどはこのように粉をかぶっていたが、工場主たちは終業時に軽く掃除していただけであった。この結果、食品工場の一帯にネズミが住みついた。建物の1階部分にはドブネズミ、上の方になるともう少し小さいネズミが多かった。市政総署は取り壊しにあたって、大規模なネズミ退治を行なった。取り壊し後の影響を心配した九龍城近隣住民への配慮だ。

チャン・ワイ・ソイ　製麺業

1947年にわずか18歳で中国からやって来たチャン・ワイ・ソイは、老人街（ロー・ヤン通り）で製麺工場を10年以上続けている。

この工場を始めたのは1979年。前にいた横頭磡《ウォンタウホム》のスラム街がMTR（香港地下鉄）の工事でなくなってしまったから、九龍城に来たんだ。ここは200,000ドルで買った。不動産が一番高かった時期だから、城外では買えなかったのさ。

手続きらしいものはなかった。城砦福利会に行って、証人になってもらっただけ。手数料は少し払ったけど、額は決まっていなくていくらでも良かった。城外で工場をやるには衛生と消防の許可をとらなきゃならないが、ここではそれもいらない。なにもかもが簡単だったね。

電気は来ていなかったから、自分でケーブルをいじった。しばらくは、停電することもあった。家は一杯あるのに、高圧線が1本しかなかったからね。それからは配線が増えて安定した。料金は城外のメーターを基に請求されてる。

水道料金は毎月決まった額を業者に払ってる。メーターはないけど、供給も保証されていないから、何日も水が出ないことがある。そうなると、城外から運んでくるしかない。水道の水は汚いよ。体を洗うのには使っても、飲んだりはしないね。

麺を作るには卵がいる。作り方は叔父から教わった。まずは小麦粉と卵を混ぜて、

チャン・ワイ・ソイ（中央）と共同経営者のシャム（左）、クワン・ツィン・オン(右)。

さらに小麦粉と重曹を追加して混ぜる。小麦粉1袋で30分くらいかかるかな。それで30キロ、40玉分の生地ができる。手作業と機械は半々。麺を切って、仕分けするのは手だよ。ワンタンの皮も作っている。2時間で3,000枚くらい。毎日だいたい、小麦粉10袋分、300キロの麺と30キロのワンタンの皮を作るね。まずは生地を作って、注文を受けてから麺を玉にする。客が違えば1玉の大きさも違ってくるから。

よく頼んでくれる店は40から50軒あるけど、量は日によって違うんだ。城外の客も城内の客も、1回の注文は25キロくらいかな。麺は置いておけないから、毎日車で配達するよ。朝に作った麺でも、ひとつが腐ってしまったら全部パーになっちまうんだ。でっかい冷蔵庫があってね。70,000ドルもしたんだけど。材料は全部ここに入れてある。生地が残ってしまったらそれもね。台風とかで注文がゼロなんていう日もあるから。

九龍城の外で商売してたときとの違いは、なんと言っても安さだ。人を雇うのも、なにかを借りるのも、なにもかもが安い。

ここは4人の共同経営。九龍城に来る前か

小麦粉を吸い込まないようにマスクをしながら、シャムはできたての生地をワンタン用にカットする準備をしている。「この何年かはワンタン担当だ。前は麺も作っていたけどね。毎日40キロは作っている。小麦粉を混ぜるのは機械だけど、こねて、麺棒で押したり伸ばしたりするのは手さ。力がいるから麺棒の上に腰掛けちまうこともある。もちろん痛いさ。重労働だから汗もかくし。こっちは年寄りだけど、今の若いもんはもっと要領良くやってるのかもな。皮がどれくらい薄いか測ったことはないけど、機械でやるよりは薄いよ。ワンタンは手で作った方がうまくできるのさ」。

らこのメンバーでやっていた。1日にだいたい9時間は働くね。朝8時から始めて、昼飯の休憩は1時間。ここで寝泊りをすることはないよ。いくら便利でもここに住もうとは思わない。仕事がなければ、九龍城には来たくないくらいだ。

初めてここに来た頃は、空気はもう少し綺麗だった。電気が来ていなかった代わりに、エアコンがなかったからね。今ではエアコンだらけで、環境は滅茶苦茶だ。水が滴ってくるから路地は水浸しで、滑りやすいし。

九龍城が取り壊されても、いい場所さえあったら商売は続けたいと思っている。なかったらやめるしかないね。補償が1,000,000ドルもらえたとしても、代わりの工場は買えないだろうよ。買えたとしても、設備を整えたりしなくちゃいけないから、もう少し金がいる。1,500,000ドルは必要だってことだ。

これから1,500,000ドルもかけて、なにか意味があるかい?　朝早くから夜遅くまで働かなくちゃいけなくなる。補償があっても、500,000ドルは銀行から借りなきゃならないんだよ。月に何千ドルか稼げる仕事なんてあるかい?　あったら教えて欲しいよ。

チャン・ワイ・ソイと経営者の最後のひとりシウ。配達用に麺を詰めている。小麦粉、卵白、水などは、なにかで測っているわけではなく、経験と勘だけで混ぜられている。

光明街（クォン・ミン通り）外れの工場で魚肉団子を揚げる従業員のクォク・ツァン・ミン。この通りには魚肉団子工場のほとんどが集中している。スープや麺料理に使われたり、屋台で串刺しにされて売られたりするこの魚肉団子は香港独特の食べ物であるが、その80%は九龍城で製造されていた。

下：腸粉（チョンファン、米粉のクレープ）を調理している様子。

弁当用の炒め物を作る様子。城内の工場や商店に配達される。

上右、中：松発冰室（チョン・ファッ・カフェ、P.84～）の裏手にある工場で働くイン・カム・ムイの弟。
上左：ヤンが経営する鍋料理の店。九龍城のほとんどの店は、香港の衛生基準を満たしていない。清潔ではなく、ネズミもおり、食中毒を起こす危険もあったが、客は気にしていないようだった。

チェン・クーン・イウ　歯科医師

チェン・クーン・イウは1948年5歳のときに、家族に連れられて香港にやってきた。父は商売をしており、九龍城に住んでいた。

城外の学校に通ってたんだけど、国民党の元軍人だった先生が九龍城で学校を開くことになって、そこに移ったんだ。私立中山《チョンサン》学校っていって、龍津道（ロン・チュン通り）にあった。私は8歳か9歳で1年生だった。14で卒業するまで通ったよ。

教室は14平方メートルくらいの広さで、1クラスは20から30人。高学年になると先生は教科ごとの担当になって、中国語、英語、数学、公民なんかを教わった。授業料は月に8から10ドルだった。

14のときに、父から知り合いの歯医者が弟子を探してるって話があったんだ。潮州《チウチャウ》の方言では「米屋」って言葉が「歯医者」って言葉と似ていてね。私は父に米屋に行かされてしまう、痩せているのに運べるかなあなんて心配してたんだよ！

というわけで、私は14で歯医者に弟子入りして、それから32年間ずっと歯医者をしている。この場所は師匠だった先生に借りてるんだ。先生もまだ現役でこの近くでやってるよ。ここは元は2階建てだったんだけど、何年か前に建て替えられたんだ。

修行中はハードだったなあ。給料は月に25ドル。そのうち35ドルまで上がった。焼き石膏で型を作ることから始めたけど、一番大きな仕事はあちこちをきれいにすることだった。使った後のピンセットの消毒もね。先生から直接教えてもらうことはほとんどなかった。3、4年で研修を終えた優秀な先輩がいたから、その人に色々習ってたね。

当時はクリニックの上の階に住んでた。修行の身としてはまずまずの環境だったんじゃないかな。実家は近いからよく帰っていたけど、独り暮らしは楽しかったよ。

以前の歯医者は漢方医に近い存在だった。中国や昔の香港では、そういう治療が当たり前だったから。だけど香港では、注射なんかを使う西洋式の歯科医がだんだん増えてきたところだったんだ。

初めて患者の歯を抜いたときは、手が震えたよ。注射をするのも緊張したけど、先生が側にいて助けてくれた。そこまでできるようになるには、3年4カ月かかった。その頃には基本技術は修得できていたけど、経験はまだまだだった。

修行後の給料は月に80ドル。1960年頃でまだ20歳にもなっていなかったから、将来に不安を感じちゃって。その頃、近所に中国の難民救助機関がやっていた工場があってね、布製の鳥の飾り物を作っていたんだけど、月給が200ドルだっていうから働いちゃったよ。鳥に目をつけるのが仕事。でもすぐに工場が閉鎖になっちゃって、また歯医者に戻ることになったんだけどね。

3、4年そこで世話になった後は新界（ニュー・テリトリー）の歯医者で働いて、1963年には九龍城に戻って、目が悪くなった医者仲間の手伝いをすることになったんだ。その頃はよく働いたよ。朝の9時半から夜の9時半まで、昼にちょっと休むだけでね。患者が多いときは治療も手伝ったけど、入れ歯作りがメインの仕事だった。クリニックははやっていたよ。料金が安いから城外からも患者が来て。でも、腕は決して劣ってなかった。城外の歯医者は、城内に入れ歯を注文することが多いんだよ。1960年代、金属製の入れ歯は城外では20ドルだったけど城内では11ドル、城外では500ドルかかる治療も、ここでは200ドルだった。

当時は月500ドルのいい稼ぎだった。信用されていたし、責任も感じていた。

でも、自信も持てたから4年後には開業することにしたんだ。金はそんなにかからなかった。器材は5,000ドル以上したけど、分割払い――頭金が1,000ドルで、月の支払が200ドル――にしてもらえたし、ピンセット

実用的な入れ歯が整然と並べられている。腕の良い歯医者の証拠である。

とか金型とかの道具は、掛けで売ってもらえたからね。

開業したての頃でも、賃料は入れ歯作りの収入で賄えていた。2年後には賃貸契約が切れたから、先生の場所を借りることにしたんだ。その頃には、患者も増えてきたよ。

九龍城の歯医者は、難しい治療はしないようにしているんだ。親知らずを抜くとかね。出血が多くなるから患者はパニックになって、ちゃんとした病院に行ってしまう。そうすると、ここのことがバレてしまうから。同じ理由で、一見の患者さんもお断り。あと私が気をつけていたのは、夜に歯を抜かないこと。これも血が止まらなくて患者が心配するといけないからね。

ただ歯を削るっていうのも私はあまりしなかった。歯を抜く方が簡単で早いから。治療費を値切る患者は嫌だったなあ。たまにいるけどね。

九龍城の歯医者はみんないい設備を持っているよ。業者が最新の技術や設備を城砦福利会の事務所に展示してくれていたからね。薬品類は、劇薬もあるから仲買人から買っているよ。市場価格より少し高めかな。

クリニックは朝の10時から、夜は6時か7時まで。初めは休みはなかったけど、今は土曜を休診日にしている。何日か暇なときもあれば、すごく忙しい日もあるね。ここの賃料は最初は450ドルだったけど、だんだん上がって1987年には2,000ドルにまでなった。

従業員はいないよ。妻が助手をしてくれているから。彼女も同じような生い立ちだから、九龍城に来ることは恐がってなかった。最初は無気味だし汚く思うけど、慣れるもんだよ。元々はもう少し広くて安い部屋に住んでいたんだけど、隣りが工事を始めたから今はクリニックに住んでいる。我慢してたんだけど、子どもたち——娘ふたりに息子がひとり——も大きくなってきたからね。

取り壊しが発表になったけど、出て行くなら政府は342,000ドル補償してくれるらしい。この辺りの歯医者仲間のアンケートでは、90%は移転後も歯医者を続けたいと言っている。けど政府は、城外で歯医者をするためには英国の医師試験を受けなければならないと言う。でも、受かりはしないだ

ろうから、一時金で諦めてくれってことだよ。

城外に行ってどうするかはまだ決めていない。ここでは月10,000ドル稼げていたけど、歯医者ができないとなるとそれは無理だろうな。これからも無免許で働こうかって言ってる仲間もいるけど、もし捕まったら補償された342,000ドルは返さなきゃいけないだろう。弟には一緒に商売をしないかって誘われてれいるんだけどね。とにかく、少しでも長くここには居座るつもりだよ。患者が来る限りはね。

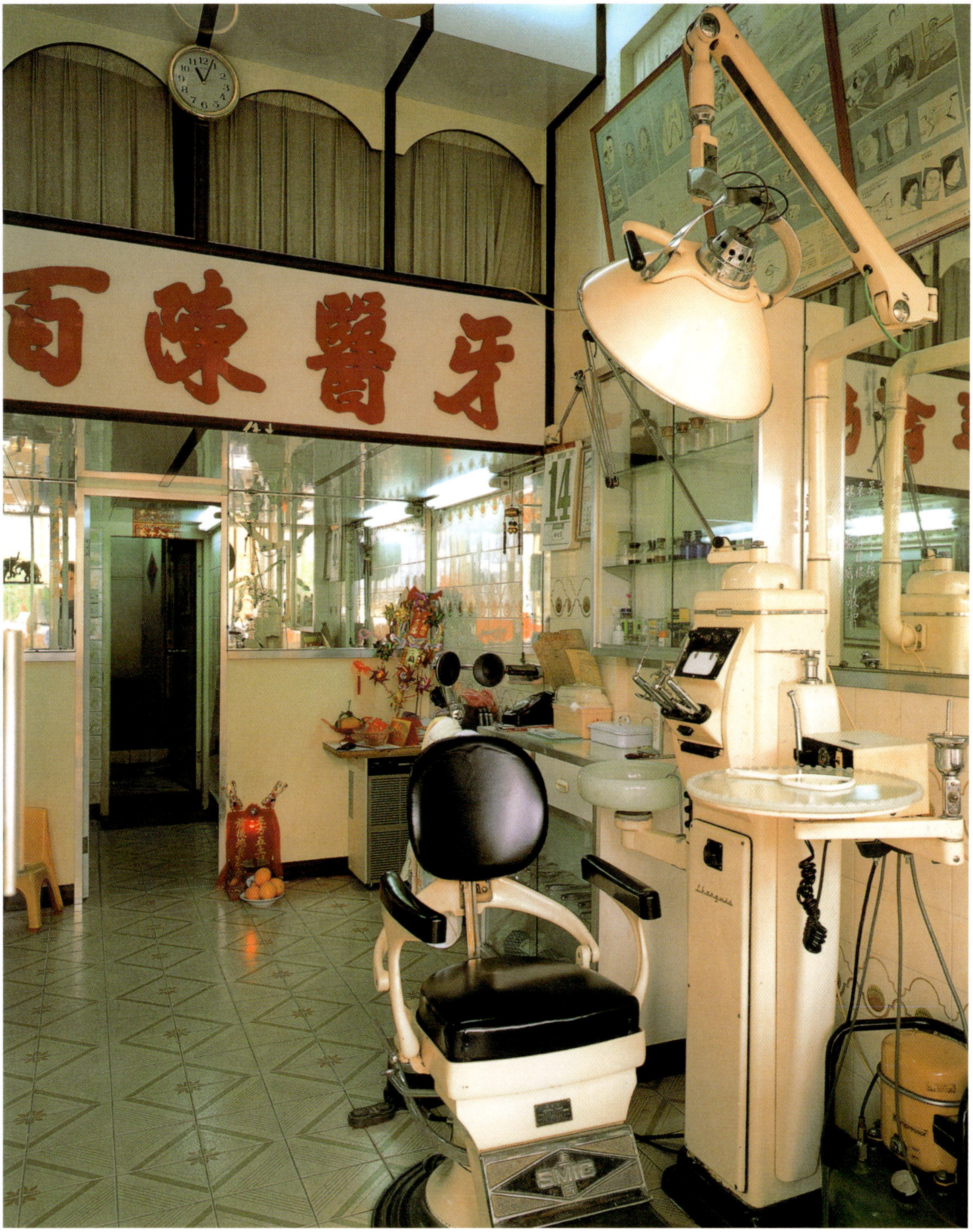

龍津道（ロン・チュン通り）と東正道（トン・ツェン通り）の境目にある、桁外れにきれいなチェン・クーン・イウのクリニック。歯医者や医者はこの辺りに集中していたので、患者は九龍城の敷地内には入らずに受診することができた。医師たちは衛生の知識はあったものの、器具が消毒されずに再利用されていることもあった。薬の処方も場当たり的で、ビタミン剤とステロイドを混ぜたものが万能薬として使われていた。しかし、ステロイドの多用は問題だった。痛みを抑える効果はあるものの、症状を根本的に治すことはできないため、後になって状況が深刻になることもあった。

ツィン・ムー・ラム　医師

ツィン・ムー・ラムは1973年に東頭村道（トン・タウ・ツェン通り）10番地にクリニックを開業し、1992年の立ち退き第3段階まで妻と共に暮らした。

九龍城は私にとっては、特別な場所ではないんだ。1950年、60年代は父がここで漢方医をやっていたし。

中国・広州《グワンチョウ》の中山《チュンシャン》大学で医学を学んで、1961年に医者になった。学生時代は夏や冬の休みには香港に帰ってたんだが、中国で医者の仕事を始めた途端に忙しくなって、それからはたまにしか帰らなかったね。

1969年の文化大革命の間は、東莞《トングワン》っていう田舎に3年間「下放」されてね。「解放」されてから両親が香港に住めるように手配してくれて、1973年に戻ったんだ。10年ぶりだったけど、近所の人はほとんど覚えていたよ。

その年に6カ月間、青衣《チンイー》島の工場で嘱託医の研修をした後、九龍城で開業した。イギリスの免許がないと、他には行けなかったからね。ここは中国の領土だから、中国の免許を持った医者がたくさんいた。それなら私もと思ったんだよ！

クリニックの場所は最高だった。大通りのすぐ隣りで、賃料は月にたったの500ドル。城内の他の場所よりは高めだったかもしれないけど、城外に比べれば断然安かった。当時のこの辺りは今と変わらない感じだったよ。私が学校に行っている頃は、全然違ったけどね。

ツィン・ムー・ラム医師と助手を務める妻。東頭村道（トン・タウ・ツェン通り）にあるクリニック入り口にて。

ここは私が借りる前もクリニックだったんだ。だから、薬を用意すれば開業できる状態だった。最初は独りでやっていて、看護婦さえいなかったんだよ。

たいていの病気は診るけど、外科手術はやらない。皮膚のちょっとした手術くらいならたまにするけど、他の場合は正規医を紹介してるよ。

目立ったことはできるだけしないようにしてるんだ。例えば、妊娠中絶も断っている。もちろん、城内でもやっている医者はいるけどね。私は問い合わせを受けても、城外や中国の深圳《シェンチェン》の医者に行くようにとしか言わないよ。

性病は診るよ。城外の若い男女が多くて、口コミでここに来るみたいだ。一時期はものすごくたくさんいたけど、最近はそれほどでもないかな。エイズのこともあるし、みんな少しは気をつけているのかもしれないね。売春宿も残っているけど、もうほとんど営業してないみたいだ。

たまにだけど、ケンカして血まみれになった連中も来るね。そういうときは、ここでは設備がなくて治療できないから、正規医の所へ行くようにって言っているよ。トラブルはごめんだからね。お陰様で、銃撃戦の負傷者は来たことがないね。

私が城外で医者をやろうとすると違法になってしまうから、見つかるのを恐れながら隠れてやるしかないんだ。でも、患者も信用してくれているみたいだし、上々じゃないかな。患者がその友達、親戚って紹介してくれてるんだよ。城内の医者は気さくで、親しみやすいんだろうね

馴染みの患者には、家まで行ってあげることもある。夜中に喘息の発作を起こした患者の所に駆けつけたことも何度もあるよ。ガールフレンドとセックスをしていてペニスが抜けなくなったって電話を受けたこともあったね！　医者が行くほどのことじゃない、落ち着いてやってみろって言ったけど。あとで他の医者からからかわれたんだが、行って診てやったらレイプ犯の濡れ衣をかけられかねなかったね！

最初の16年間は、患者を選んだりしながら気をつけていたから、トラブルに遭ったことはないよ。注射でアレルギー反応を起こす人がたまにいるくらいで。

薬関係でもトラブルはないよ。抗生物質とか薬はなんでも業者が持ってきてくれる。

請求書には薬の名前も効能も書いてない。これだと、色々な査察を免れることができるからね。10%の手数料が上乗せされる薬もある。ヘロインとかの鎮痛剤の類は、簡単には手に入らないね。中毒者が買ってくれないかって来ることもあるけど、追い払っているよ。祭りの間は特によく来るね。

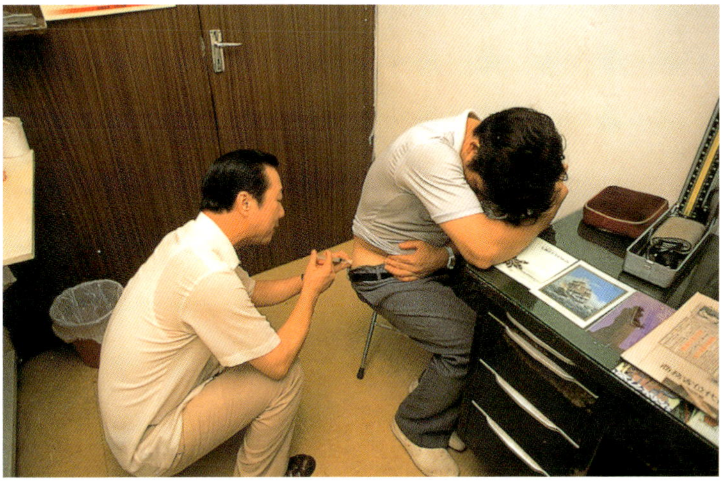

患者は城外からも城内からも来るけど、城外からの方が多いかな。診療時間は朝の9時から昼の1時と、3時半から夜の8時まで。月曜から土曜と、日曜日は午前だけ。青衣島の工場の嘱託医もまだやっているんだ。工場労働者やその家族を診るんだが、日曜の午前中に来ることが多いね。風邪とか咳とかインフルエンザとか。嘱託医がいれば、従業員は医者にかかりやすくやすくなっていいと思うね。

城内の医者の診察料は安いんだよ。城外の3分の1以下じゃないかな。普通の診察だと30ドルから35ドル、注射を打つと40ドル。ここには貧しい人が多いからね。毎日だいたい30人、多いときは50人の患者を診る。だから安くてもやってこれたんだろうな。クリニックは結局買い取ったし、他のお金もあまりかからないからね。

現在には満足してるよ。よく診ていた喘

息の患者は、大きくなってからも来てくれてるんだ。城外に引越しても来る人がいるんだよ！　九龍城では、医者と患者の距離がなくて、友達みたいだ。祭りのときは菓子を持ってきてくれたりするし。払えないっていう患者には、診察料は“ツケ”にしてるよ。1,000ドルのツケが残ったまま、亡くなってしまった肝臓病の患者もいたなあ。

九龍城が取り壊されることになったから、もうここでは医者はできないね。これまでは医者同士で集まったことはなかったんだが、実は城内には80人以上の医者がいて、クリニックは60もあるんだ！　私もそうだけど、中山、北京、広西《グワンシー》なんかの中国の医大出身者が多いね。

九龍城の医師の将来を考えるグループのリーダーに指名されちゃってね。城外での医者の求人を調べてみたんだ。1964年には政府は中国の免許を持った医師の開業を認めていたから、そこで働けないかと思ったんだが、ダメらしい。政府は、我々が医者を続ける道はないって言ってるよ。

こうなったら補償額を交渉するしかないから、診察時間を割いて何回も会議をやっ

たんだ。夜の7時から夜中までかかったことだってある。でもその甲斐あって、すべての医院に340,000ドルが補償されることになったんだ。皆はもっと多い百万ドルくらいが希望だったんだけどね。私の努力不足だって思っている人もいるみたいだけど。

数年だけど、私は皆より長く残っている。これからのことを決めかねてるんだ。どうしたらいいんだろう？　違法な開業はしたくないけど、もう50歳にもなったし、これからなにかするには難しいんだよ。340,000ドルしかないしね。

屋根の高さから見た九龍城（左、上）。生活感が漂う。屋根の上など違法に増築された部分も、独特の雰囲気を醸し出している。小さなプライベート・ガーデン、テレビアンテナとケーブル、洗濯ロープ、間に合わせの給水タンク、ゴミなどがあちこちに見られるが、屋根の上に雑草が生い茂っているのは信じ難い光景である。取り壊しに向かっての一斉立ち退きの最終段階では、マスクに防護服をつけた作業員の姿が見られた。

チャン・クァン・リョン

鳩ブリーダー

チャン・クァン・リョンは勤務先の香港テレコムを辞めた1981年に九龍城にやって来て、その直後からアパートの屋上でレース用の鳩の飼育を始めた。

小さい頃は石硤尾《セッキッメイ》で育ったんだ。1954年の大火事の後に政府が建てた団地に住んでいてね。両親は教師で貧しかったんだが、そのうちお金が貯まって、新界（ニュー・テリトリー）に2階建ての家を買ったんだ。

新しい家には池があったし、熱帯魚も飼っていた。穿山甲《センザンコウ》（※アフリカおよびアジアの熱帯地域に生息する有鱗目穿山甲属の哺乳動物）やワシやフクロウもいて、植物園みたいだったよ。動物のほとんどは俺が面倒をみてた。友達があまりいなくてね。石硤尾に住んでいた頃は、周りの環境が良くないから両親に外で遊ぶなって言われていたから。

24になって香港テレコムで働き出してから、家を出たんだ。働き始めると、いろんな楽しみができて、ペットのことは構わなくなってしまった。タバコも吸うようになったし、セックスにも興味を持ち始めたし。

親元を離れて数年後に、九龍城の部屋を68,000ドルで買ったんだ。九龍城には一度ポルノ映画を見にいったことがあったけど、犬肉は食べたことがなかった。その頃の九龍城はひとつの村みたいだった。引越したての頃はもちろん恐かったし、色々気をつけてたんだけど、みんな気さくだしすぐに慣れた。今の奥さんと出会ったのもここ。遊び仲間のひとりだったんだけど、俺の作る料理が好きだったらしいよ。

結婚して、彼女の家族とも仲良くやってたんだけど、あるとき、彼女の母親が迷い込んできた鳩をくれたんだ。何日か世話して放したんだけど、それから鳩を飼うことに興味を持ってね。すぐに3メートルくらいのケージを用意して、20羽ほど買ってきたんだ。数日後に放してみようと思ったら、飛んでいったのは1羽だけだったけど。

鳩レースは香港ではメジャーじゃないから、何百ドル、何千ドルっていうレース用の鳩を売っている店は１軒しかないんだ。食べるものだと思われているから、鳩にお金をかけるなんて信じられない人も多いだろうね。でも、俺はそれがすごく楽しかった。面倒をみてやると、向こうも俺のことがわかるみたいでね。鳩にも個性があるんだよ。

それからは、たくさん飼い始めた。あるとき、鳩ショップの外でつがいを160ドルで売ろうとしている子どもがふたりいたんだ。いい鳩だったから買ってやったんだけど、そのふたりが他の鳩を見たいって言って、九龍城までついて来てね。屋上に連れていったんだけど、そのときにここで鳩を育てるのはどうだろうってひらめいたんだ。アパートのオーナーに聞いたら許してくれたから、早速ケージを上まで運んだよ。他の人は不満だったみたいだけどね。屋上でなにかするときにはトラブルがつきものなんだ。

屋上で鳩を育て出したのが1981年か82年だったかな。のめり込んでしまって、会社まで辞めちまった。奥さんや両親には内緒でね。一時期は1,000羽いたなあ。香港テレコムの退職金と、両親が新界の家と土地を売ったときにもらっていた金でなんとか賄ってね。

屋上は鳩を育てるには最高の環境だった。静かだからね。子どもたちや警官が来ることもあったけど。警官は3カ月ごとに担当が変わっていたみたいで、その度に説明をしていたよ。1986年以降は大陸からやって来た中国人が増え始めた。警察から逃げるためにね。暑い夏の夜は、屋上には人が一杯来た。デートをする連中もいたけど、鳩は邪魔にはならなかったみたいだよ。

それからは鳩の売買もするようになった。

どのくらい飛べるのかとか色々問い合わせを受けるんだ。儲けるために売っていたけど、帳簿をつけたりはしていなかった。鳩の育て方やレースのことは、海外の雑誌を読んで調べていたよ。

仲間と一緒に鳩のレースクラブを立ち上げて、事務局と会計係をやっているんだ。レースは中国でやる。鳩を厦門《アモイ》まで連れて行って、フェリーが着く直前に放す。レースはたくさんやってるよ。最初の10レースのほとんどは、俺の鳩が勝ったんだ。

鳩にはそれぞれ番号のついたリングがはめられていて、色も分けられている。番号は内と外にひとつずつついていて、内側の番号は参加者にも知らせない。鳩が家に着いたらその番号をレース主催者に電話で知らせるっていうしくみなんだ。

鳩はケガをして戻ってくることもある。ワシにやられたりしてね。自分の鳩がケガをしたときにはビタミンKを与えて、傷口は釣り糸で縫ったり、抗生物質の粉を塗ったりしているよ。

中国でのレースは 汕頭《スワトウ》、温州《ウェンチョウ》、福州《フーチョウ》、杭州《ハンチョウ》、上海、他にも色々な場所でやってきた。鳩は時速70キロで飛ぶ。だから、上海でレースをすると、天気にもよるけど、戻ってくるのに2、3日かかるね。中国には鳩のレースクラブはたくさんあるんだが、香港のクラブには寄付を求めてくるんだ。レースには、距離に応じた参加費が必要で、だいたい10ドルくらいかな。参加エントリーが800あったら、経費が10,000ドルはかかるから——ほとんどが中国のクラブへの寄付なんだけど——赤字さ。他のレースで黒字が出たときに補ってるよ。

ベルギー人には鳩好きが多くて、速い鳩を育てるのがうまい。アメリカ人は道を覚えるように仕込むみたいだ。1羽の鳩に何十万ドルってかける人もいるんだよ。俺は4組のつがいの雛がいるつがいの親鳩を6,000ドルで買ったことがある。雛のつがいは2,000ドルずつで、親のつがいも元の値段で売れるからね。

可愛がっていた鳩がいなくなったこともあるよ。知り合いから5,000ドルと10セントで譲ってもらったのがいてね。8年間飼って

九龍城で飼われているレース用の鳩は、しつけされているので静かだ。本当は香港の都市部では動物を飼育することは禁止されている。鳩のブリーダーたちは、午後に訓練をすることが多い。啓徳空港へ着陸する飛行機が少ない時間帯だからだ。

たんだが、雛もできないし、一度放してみたんだ。なにか変化があるといいなあと思って。そしたら、それっきり戻って来なくなっちまった。

雛は孵化してから20日でトレーニングを始める。最初は親鳩の真似をしていて、レースができるようになるには、最低1年かかるね。口笛を吹くのを餌の合図にしているんだ。ケージから外や周りを見ることで、道を覚えているんだよ。

小鳩が独り立ちを始める頃が、トレーニングの始めどきだ。まずは新界に連れて行って、戻ってくるように放してみる。だんだん遠く、香港の外まで連れていって、100キロ、200キロ、300キロって距離を延ばしていく。間には１週間ずつ休みを入れてね。そうしていくうちに、500キロ、800キロ、1,300キロって長い距離のレースに耐えられるようになっていくんだ。

屋上の賃料は月に1,500ドルで、餌は600グラムで2ドルくらい。1羽の鳩が1日に食べるのがだいたい40セント分かな。1,000羽いると、１日で最低300ドル、月では9,000ドルかかるね。ケガをしたら薬もいるし、餌

上の階に住む住人にとって、屋上は「聖域」だ。新鮮な空気を吸い、階下の窓のない部屋での圧迫感から逃れることができる。眺めはそれほど良くなく、ゴミも一杯だが、伸びをしてリラックスしたり、北側の獅子山を背にただ座って物思いにふけったりしながらそれぞれに楽しんでいる。屋根を飛び移ったり、さびついた梯子や簡易的に取り付けられた階段を使ったりすれば、九龍城を横断することも可能である。

に混ぜる特別な飼料も輸入してる。レースに出るときには、特別に薬を3錠与えてる。それは18ドルするんだ。

レースに出すときは、鳩の腹は五分目程度に抑えている。その方が餌目当てに早く戻ってくるからね。中国のレースでは水と餌が与えられる決まりが後からできたから、うちの鳩の成績は悪くなっているよ。それにレースのときに飲ませている薬には興奮作用があるから、鳩同士でケンカになってしまうこともあるしね。

この商売をやめることに決めたのは1987年の1月。上海から1羽戻ってきた日だった。上機嫌だったんだが、政府からお役人がやって来て、取り壊しだって言われてね。どうしようか、どこに行こうかいまだに決めかねているよ。

ここほど鳩に良い場所があるとは思えないしね。このふたつのケージの鳩で、補償額は4,000ドルだって言われたんだ。これを売ったり買ったりして商売にしているっていうのにさ。たとえここを出ても30羽でも40羽でも飼いたいと思ってるんだけど、奥さんも両親も反対。定職について欲しいって言ってね。

元朗《ユンロン》に畑でも買おうかなあ。植物園みたいに大きなケージを置いて。大きな冷蔵庫も買って、食べ物は溜めておいて、何カ月

間は外に行かないでもすむようにするんだ。野菜や鶏は自分で育ててね。多分、奥さんは金を持ってるんだ。だから彼女もあまり危機感はないよ。最低でも、熱帯魚くらいは飼いたいな。

夕方近くになると、屋上には人が集まってくる。ある老婦人は、自分の孫と近所の子どもたちが遊ぶ様子を見守っている。子どもの母親たちは、階下で夕食の準備中だ。子どもたちにとって屋上は格好の溜まり場で、学校が終わるとにぎやかに遊び回ったり、静かに宿題をしたりしている。

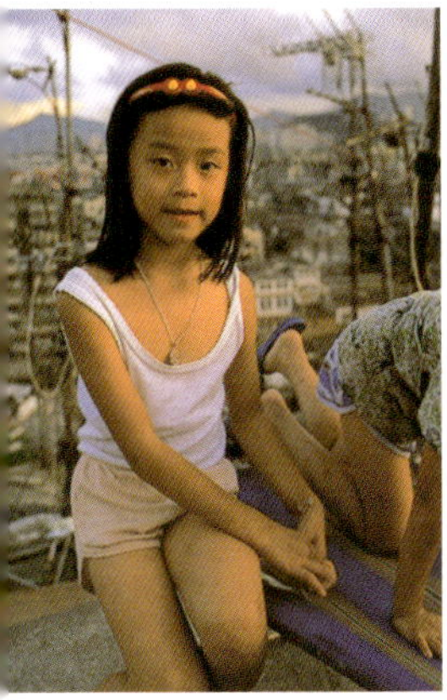

子どもたちの賑やかな声は、しばしば飛行機の音に掻き消される……九龍城の南西部では800メートル南の啓徳空港へ着陸する飛行機がわずか100メートル上を飛んでいく。そのため、九龍城の建物には唯一の規制ともいえる高さ制限があり、45メートルもしくは14階建て以下とされている。それでも、香港島が臨めるくらいの見晴らしだ。

取り壊し準備の間、民間の警備会社が城内の警備を担当し、不法侵入などを防いだ。立ち退きの第1段階で収集された各世帯の鍵は整然と管理され、火事などが起こった際に迅速に対応できるようになっていた。

立ち退き処分　チャールズ・ゴダード

1984年の中英共同宣言で中国への香港返還が合意されたが、これが九龍城取り壊しの布石となった。英国はこれまでにも九龍城の立ち退き処分を試みてきたが、すべて失敗に終わっていた。国家としてのプライドがあったのか、もしくは政治的な利己主義からか、中国は九龍城の管轄権を要求し、取り壊しに反対する態度を頑なに守り続けていた。しかし香港返還の見通しがつくと、九龍城だけに執着することはしなかった。政治的な問題が解消された途端、九龍城はただの厄介物となったのだ。

この高層スラムは近代都市香港にもはや残してはおけないと、中国と英国の意見が一致した。九龍城は人が多すぎて物理的に安全でなく、衛生面においても危険な、一般常識からかけはなれた——それが魅力でもあったのだが——世界だった。無認可の食品工場の問題などは、ほんの一例に過ぎない。九龍城は、1997年の香港返還を迎えるにあたってお荷物となってしまったのだ。

中国と英国は九龍城の取り壊しについて、1986年初めには大筋で合意していた。その年の6月には、公式な発表を半年後に控えて、調査チームが極秘に結成された。当時、九龍城の詳細は明らかになっておらず、様々な機関がそれぞれの目的に応じたデータを持っているだけだった。不法スラム区域立ち退き整理のベテランであるグレゴリー・チャン・タク・ピンをリーダーとするこのチームの任務は、城内の住人や商店、工場の数を見積もることと、全体の地図を把握することであった。

極秘に事を進めるのは非常に難しい。だが、取り壊しの話が人々に広まってしまうと、補償目当てに九龍城に人が殺到してしまう。幸いにもチャンらの調査は表沙汰にならなかったが、これは努力したというよりは、運が良かったのだろう。役人は嘘をつくのが下手だ。チャンも例外ではない。取り壊しが発表になった後、彼は「サウス・チャイナ・モーニング・ポスト」にこう語った。「九龍城に行くときにはネクタイはしないようにしていた。公用車の運転手にはかなり離れた所で降ろしてもらっていたが、それでも十分でない気がして、3度目からはタクシーを使うようになった」。

取り壊しの準備は明るみになることはなく、水面下で着々と進んでいた。一番大変だったのは、九龍城の人口を特定することだった。1987年1月14日午前9時、政府が取り壊しを公式に発表した。15分後には北京の中国外務省からも取り壊しを支持する声明が出された。「九龍城住人のみならず、すべての香港市民のためだ」。

発表から20分後の9時20分に、30台のトラックが九龍城近くの3カ所のポイントに集まった。400人の政府担当者が60チームに分かれて、警察の誘導で城内に入っていく。前から派遣されていた調査チームも発表を告げられたのはその日の朝7時半だった。10時ちょうどになると、軍隊もやって来て83カ所の出入り口を封鎖した。その間に、1世帯ずつ訪ねながらの面談が行なわれ、24時間ですべてが終了した。

城内の住人たちは不信感を露わにした。いつかは九龍城はなくなるかもしれないと言われていたものの、現実になるとは誰も想像していなかったのだ。だが、抵抗はほとんどなかった。ショックは受けても、諦めて承諾した人がほとんどだった。商店主のツァン・カム・クワンの言葉に、その複雑な気持ちがよく表れている。「神様も助けてはくれなかったみたいだね。決まっちまったんだ。言われた通りにするよ」。しかし、古くからの住人やお年寄りの中には不安を抱く人も多かった。ラウ・オイ・チュウという老人はこう語った。「1歳からずっと住んでるんだよ。もう76だ。ここが故郷だし、友達も皆ここにいる。時代が変わったんだろうけど、年寄りにどうしろと言うんだ?」。

一番困惑したのは、工場主と歯医者や医者だった。工場主たちは衛生や労働面で政府基準に従うと高くついてしまうので、九龍城で商売をしていた。また医師たちは免許のないことが黙認されているので、九龍城で開業していた。「他の場所では無理だった」、ある歯科医はこう話した。「中国から来た我々が英国の医師免許を持っていないのは公然の秘密だからね」。住民の不満は、政府の個別面談が終了した直後に現れ始めた。ビラがあちこちに貼られ、九龍城は「血と汗」でできており、外部の人間にとっては「癌」のようなものであっても、住人にとっては「天国」だったと訴えられていた。

個別面談ではなにがわかったのか? 一番の驚きは人口が33,000人だったことだろう。1980年半ばに行なわれた調査では、40,000人と概算されていた。だからといって、九龍城に余裕ができていたというわけではない。取り壊しが近づいた1991年11月には、10から14階建ての350の建物の8,494カ所に10,742世帯が住んでいるという結果が得られた。事業所――といっても、食品、金属、プラスチックの小さな工場がほとんどだが――の数は718で、そのうちの170は食堂や商店であった。さらに75の医院と歯科医院があった。

住人の面談を行なっている間、調査機関の管轄で「九龍城取り壊し特別委員会」が発足した。初期調査が完了すると、補償額が見積もられ、取り壊しのスケジュールが立てられた。1987年には27億6千万ドルの予算が組まれ、すべての住民や事業所を4段階に分けて1992年までに移転させることが決定した。それから18カ月かけて、衙門《ガモン》などの保存対象を除いたすべての建物を取り壊し、跡地を公園にして終了するのが1995年の予定になった。

補償と住み替えは、対象を大きくふたつに分けて考えられた。まずは「家を借りていた人」で、1月14日の調査時点で九龍城にずっと住んでいたことを証明できた人だ。彼らは、公共住宅への移転か、持ち家奨励制度（HOS）を優先的に利用して自分で家を買うかを選択することになった。次は「家を持っていた人」で、この場合はその持ち家と同等の価値のものを提供されるが、それが自分の所有物である証明が必要になった。公共住宅に住み替えて余った額を現金でもらうか、HOSのためにすべて現金でもらうかが選べた。だが、城内の資産価値は城外に比べてはるかに低いという点が問題だった。

結局は、持ち家と同等の一番安いHOSの

部屋が補償されることになった。九龍城内の6割を占めていた23平方メートルの部屋を基準として、最初は320,000ドルの査定だったが、取り壊しの最終段階では物価の上昇に合わせて380,000ドルになった。

事業主への補償は、城外へ移転した場合にかかる費用とロスに応じて決められたが、事業をやめる場合には、今までの利益が基準とされた。利益を証明できない場合には、340,000ドルから450,000ドルになった。医者や歯医者は城外での営業を認められず、342,000ドルの一時金が支払われた。

1987年の11月には、所有物件の約97%について補償問題は決着した。証明として提出されたものに正式な書類はほとんどなく、ごちゃごちゃと書かれた紙1枚に城砦福利会の印がついているものばかりだったが、人々は新しく用意されたHOSの物件や公共住宅に移っていった。香港に来てから7年以上経っていない約3,000人の住人——全体の約8%——については公共住宅への入居資格は認められず、仮設住宅に移動させられた。取り壊し目前の1991年11月になっても、457世帯については補償の合意に至っていなかった。

住民が立ち退くと、政府担当者は危険物、引火物を撤去した後で侵入防止のために施錠する。それらの鍵は、なにかの場合に備えて西城路（サイ・シン通り）の警備会社の事務所に一括管理された。ゴミは一掃、通りも掃除され、あらゆる出入り口は封鎖、窓には網がかけられた。市政総署によるネズミ退治も行なわれた。同様の取り壊しプロジェクトの経験上、ネズミは居場所がなくなると近くの別の場所に移動するだけだということがわかっていたからだ。

補償に同意していないのは、ほとんどが細々と商売をしていた人たち——特に歯医者や商店主——で、帳簿を提出しなかったのが原因だ。元々つけていない人もいれば、

立ち退きの最終段階になって去る女性。その後、政府担当者は鎖で施錠した。無人となった建物からは引火しやすいものを押収して火事に備えた。

33,000もの住人の大半は住み替えと補償額に納得して期限内に出て行ったが、数百人は違法、不誠実だと声高に抵抗した。立ち退きを拒否して居座り続けて、強制的に追い出された人もいる。

税務署から課税されるのを恐れて提出しない人もいた。補償がほしいだけで粘っている人もいたが、立ち退きに根本的に怒っている人もいた。政府側の責任者、フィリップ・チョク・キン・フンは、多少の不都合は我慢してもらわなければならないと応じるしかなかった。

立ち退きの第1段階に着手する頃でも、事態は変わらなかった。政府機関の近くではデモが起こり、フィリップ・チョクの肖像が焼かれた。さらに悪いことには、ごく少数ながらも一部の住人が居座りを宣言した。

33,000人の住民のほとんどは問題なく出て行ったのに、残る数百人は大変だった。1991年11月28日には、政府担当者が警官と共に抵抗者を強制的に立ち退かせた。4段階に分けた立ち退き期間中、16世帯がこのようにして追い出された。激怒したある住人は、警官たちに殴りかかろうとしたところを取り押さえられた。

野宿しながら抵抗していた20人を連行して、1992年7月についに立ち退きが完了した。通りはきれいに掃除した上で封鎖された。民間の警備会社はパトロールを続けて住人が戻って来ないようにように目を光らせ、政府担当者はその間に取り壊しの準備を進めた。

九龍城の取り壊しは、世界最大規模の爆破になるという噂が立ったが、それは違った。1993年4月、近隣住民の見守る中、巨大な建物解体用の鉄球——特別に依頼されたアメリカの会社が操作した——が外壁を打ち砕いた。すべてが取り壊されたが、清朝の衙門は残された。これはしばらくは、訪れた人たちにここが特別な場所であったことを思い出させてくれるだろう。だが100年も経てば、「歴史から見放された問題」であったこの九龍城も、本当にただの公園になってしまうのかもしれない。

九龍城地図

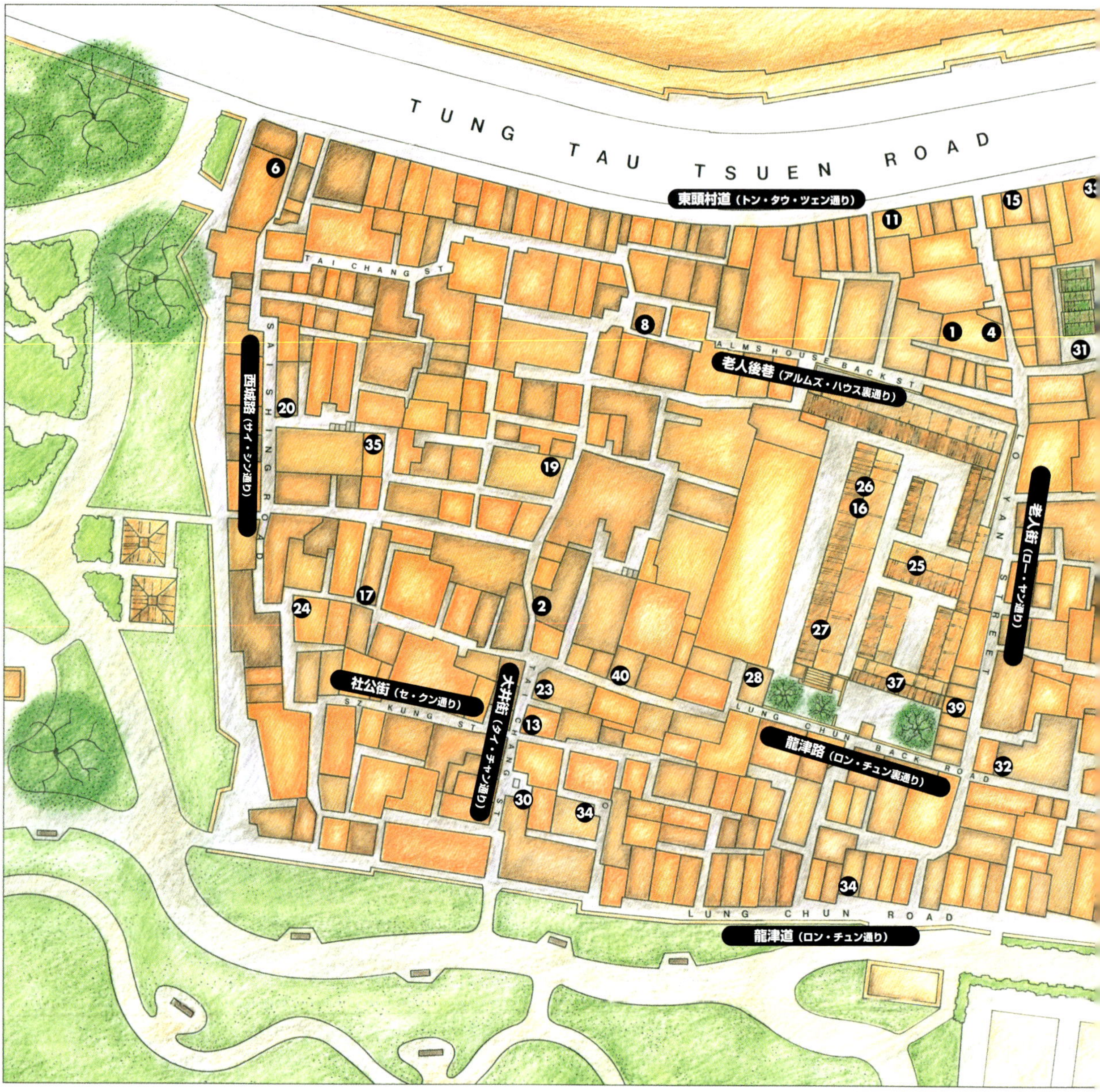

TUNG TAU TSUEN ROAD
東頭村道（トン・タウ・ツェン通り）
TAI CHANG ST
SAI SHING ROAD
西城路（サイ・シン通り）
ALMSHOUSE BACK ST
老人後巷（アルムズ・ハウス裏通り）
LO YAN STREET
老人街（ロー・ヤン通り）
社公街（セ・クン通り）
SZ KUNG ST
大井街（タイ・チャン通り）
TAI CHANG ST
LUNG CHUN BACK ROAD
龍津路（ロン・チュン裏通り）
LUNG CHUN ROAD
龍津道（ロン・チュン通り）
6
11
15
8
1
4
31
20
35
19
26
16
25
17
2
24
27
40
28
37
39
23
13
32
30
34
34

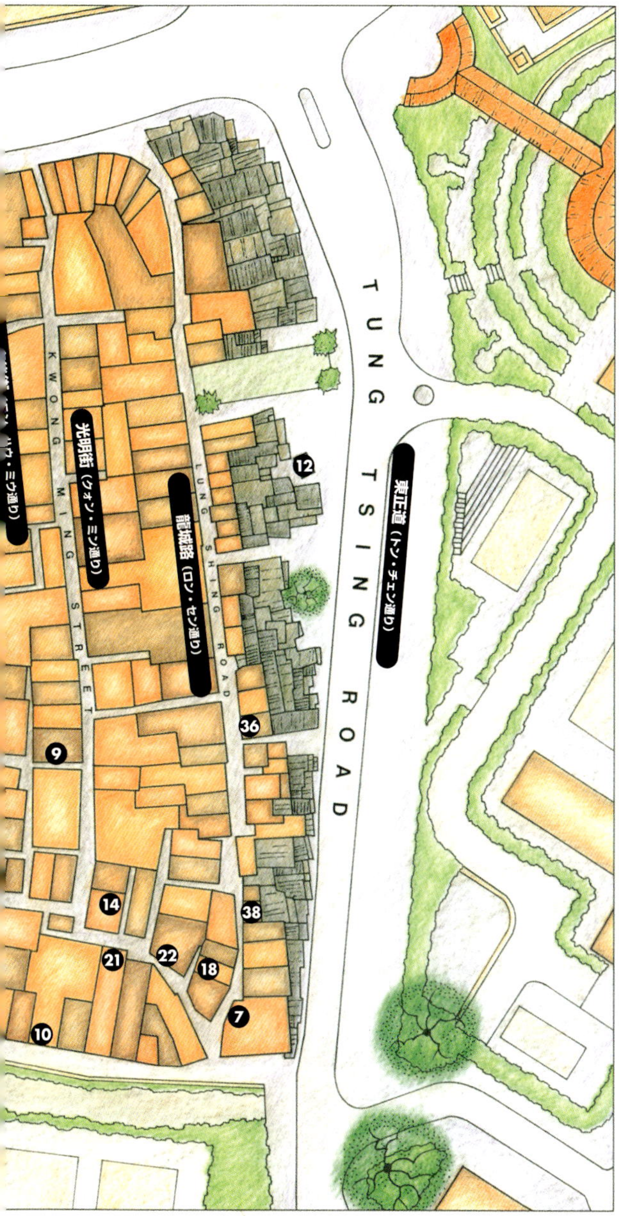
TUNG TSING ROAD
東正道（トン・チェン通り）
LUNG SHING ROAD
龍城路（ロン・セン通り）
KWONG MING STREET
光明街（クォン・ミン通り）
12
36
9
38
14
21
22
18
7
10

九龍城の取り壊しは1993年3月に着手された。跡地は公園となり、衙門だけが中央部に残された。かつての姿を彷彿させるものは、残念ながらこれしかない。